Sob pressão

Marcio Maranhão em
depoimento a Karla Monteiro

SOB PRESSÃO

A ROTINA DE GUERRA DE UM MÉDICO BRASILEIRO

GLOBOLIVROS

Copyright © 2017 Editora Globo S. A. para a presente edição
Copyright © 2017 Marcio Maranhão e Karla Monteiro

Todos os direitos reservados. Nenhuma parte desta edição pode ser utilizada ou reproduzida — em qualquer meio ou forma, seja mecânico ou eletrônico, fotocópia, gravação etc. — nem apropriada ou estocada em sistema de banco de dados sem a expressa autorização da editora.

Texto fixado conforme as regras do Acordo Ortográfico da Língua Portuguesa
(Decreto Legislativo nº 54, de 1995).

Editora responsável: Amanda Orlando
Editora assistente: Elisa Martins
Revisão: Adriane Gozzo
Diagramação: Crayon Editorial
Capa: Diego Lima
Foto de capa: Image Source/Getty Images

1ª edição, 2014, Editora Foz
2ª edição, 2017, Editora Globo

CIP-BRASIL. CATALOGAÇÃO NA PUBLICAÇÃO
SINDICATO NACIONAL DOS EDITORES DE LIVROS, RJ

M26s

Maranhão, Marcio
    Sob pressão : a rotina de guerra de um médico brasileiro /
Marcio Maranhão. – [2. ed.] – São Paulo : Globo, 2017.

    Inclui bibliografia
    ISBN 978-85-250-6501-8

    1. Sistema Único de Saúde (Brasil). 2. Política de saúde –
Brasil. 3. Saúde pública – Brasil. 4. Reportagem e repórteres. I.
Título.

17-42946   CDD: 362.10981
                                        CDU: 614.2(81)

Direitos de edição em língua portuguesa para o Brasil
adquiridos por Editora Globo S. A.
Av. Nove de Julho, 5229 — 01407-907 — São Paulo — SP
www.globolivros.com.br

Para Lenita, João, Antonio, Malu e Caio, impossível sem vocês.
Aos meus pais, Wanda e Alvino.
Ao meu saudoso irmão, Fabio Maranhão.
Aos usuários do SUS, que involuntariamente inspiraram esta obra.

Sumário

Indignação 9
O-todo-poderoso. 11
Lições de anatomia. 21
O desejo de Fausto 37
O maior escândalo 49
Lenita 63
Eu-sou-seu-médico. 77
De porta em porta. 93
O vício 101
Lusco-fusco 111
Onde eu assino. 119

Bibliografia 131
Agradecimentos 133

Indignação

Médicos escrevem movidos pela angústia, procurando dar vazão à ansiedade que deles se apossa diante da imensa responsabilidade da profissão, como já observou o escritor e médico gaúcho Moacyr Scliar. Quando se vivencia tão de perto o drama da vida humana, as histórias ficam tatuadas em você, tornando-o um médico diferente. E, quando faltam condições essenciais para a boa prática médica, soma-se indignação à angústia.

A saúde é o bem maior de uma população. Ocupa o primeiro lugar nas preocupações do brasileiro. Não deveria, posto que a Constituição Federal estabeleceu a universalidade do acesso, a integralidade da atenção e a igualdade da assistência a todos. Mas se olharmos além das emergências, o termômetro da deficiência na saúde pública, e analisarmos o cenário do SUS pelo Brasil, iremos constatar problemas complexos e recorrentes. Eles são atribuídos ao subfinanciamento do sistema, à má gestão, à corrupção endêmica — e principalmente à falta de uma discussão mais aprofundada sobre o modelo de saúde pública do país.

A realidade brasileira é caracterizada pela insuficiência de leitos, superlotação das emergências, carência e má formação de profissionais de saúde, desigualdade na distribuição de médicos, estrutura física inadequada, falta de medicamentos, insumos hospitalares e equipamentos.

Ao mesmo tempo, nunca tivemos tanto conhecimento e tecnologias disponíveis, nem tantas expectativas em relação à medicina. Ela cada vez mais regula o comportamento e o estilo de vida das pessoas. Mas a qualidade da assistência não avança, deteriora-se. Os usuários nunca estiveram tão insatisfeitos com os serviços recebidos, enquanto os médicos enfrentam condições cada vez mais adversas para a prática profissional. Em nossas conversas, os assuntos são sempre os mesmos: baixa valorização profissional e falta de perspectiva. Lamentações sempre acompanhadas de nostalgia, referindo-se à penúria atual dos hospitais públicos pelos quais já passamos. Quais ainda estarão de pé?

Um dos primeiros atos médicos descritos de que se tem conhecimento é um gesto de solidariedade, no qual um combatente ferido em batalha é amparado por outro. Sem muito a oferecer, o soldado se posta ao lado do ferido, confortando-o. Isso se perdeu na história. A medicina mudou. Ficou cara. Avançou em recursos diagnósticos e terapêuticos, mas deixou para trás, no campo de batalha, os seus ritos e a sua essência. Este livro é fruto da ação e indignação de um médico nesse cenário em ruínas, que precisamos conhecer para transformar.

Marcio Maranhão

O-TODO-PODEROSO

Os corredores anunciavam a guerra. Vermelha, suja, nauseante, delirante. Pessoas cobrindo o chão, disputando os bancos, gemendo sobre macas de ferro. Vestido de branco, eu podia ser a antítese e o antídoto para o sofrimento que aparentemente não livrava ninguém. Doutor! Doutor! As vozes chegando de todos os lados, suplicando alívio. Corria o ano de 1996, tão longe, tão perto, plantão de quinta-feira à noite, Souza Aguiar. Para um residente de cirurgia geral, depois de completar seis anos de faculdade, o maior hospital de urgência e emergência do Estado do Rio podia ser um sonho, perfeito para colocar em prática a teoria que acabara de aprender. Aos 25 anos, eu tinha uma missão a cumprir e estava no lugar certo. Quando alguém me pergunta qual era o meu sentimento ali, naquele inferno de Dante, não titubeio: eu me sentia O-Todo-Poderoso.

Nos anos 1990, ainda no início de minha formação acadêmica, eu não havia percebido a dimensão real da luta, massacrante e sem trégua, que um médico do sistema público brasileiro precisa enfrentar todos os dias. Acordar de manhã e ir para o *front*. Muitas vezes sem dormir, seguindo de um plantão para o outro.

Para mim, inexperiente e disposto a vencer desafios, a medicina ainda carregava os símbolos românticos da profissão: beleza, mistério, compaixão, amor.

Mas no Souza Aguiar o romantismo começava a se perder rapidamente no caos. Muitas vezes precisei dissecar uma veia no chão — quando não havia centro cirúrgico, nem leito disponível. Se o paciente chega com a pressão muito baixa e perdendo muito sangue, por exemplo, o médico precisa agir rápido. É seu objetivo salvar aquele paciente, que muitas vezes está caminhando para a morte. Deve intervir o quanto antes, o que não raro significa fazer pequenas cirurgias sobre macas frias, nas bancadas de pia ou até mesmo no chão, em situações de extrema urgência.

Ao caos do sistema público de saúde se somava, desde então, outro inimigo poderoso na guerra dos médicos no Rio de Janeiro: a violência devastadora das ruas. O crime organizado não mais defendia o seu território com revólveres calibre 38. Já chegara a era dos fuzis, dos armamentos pesados, o que afetava diretamente o movimento nas emergências públicas — e não apenas na quantidade cada vez maior de feridos, como na gravidade dos que chegavam para o pronto-atendimento. Imagine a diferença do impacto entre um trem comum e um trem-bala furando uma barreira. Os fuzis são como trens-bala. O projétil de alta velocidade penetra no corpo com uma força enorme, transfere mais energia cinética e cria o que chamamos cavidade temporária, dilacerando órgãos e tecidos. Há vinte anos, começava a escalada da violência que aprofundaria a crise nas emergências dos nossos hospitais.

O plantão de quinta-feira começou veloz, cheio de desafios. Os corredores abarrotados representavam a minha chance de aprender, de me tornar um cirurgião de verdade. E eu queria ser um

12 *Marcio Maranhão*

bom cirurgião. Durante o dia, fazia residência no Hospital do Galeão, localizado na Ilha do Governador, zona norte do Rio de Janeiro. E, à noite, complementava a formação no Souza Aguiar. Meu objetivo era concluir com louvor os dois anos de cirurgia geral para iniciar os três anos de residência em cirurgia torácica.

Na época, o Souza Aguiar também era uma escola de cirurgiões. Hospital referência de trauma, referência de baleados, referência de medicina de guerra. De todos os médicos-cirurgiões que passaram por lá, o professor de todos: Antônio Ribeiro Neto. Um profissional inquestionável. Cirurgião de alma e de corpo inteiro. Costumávamos dizer que ali, no Souza Aguiar, o paciente encontrava-se na última fronteira. Se não encontrasse salvação naquele hospital, não encontraria em nenhum outro do mundo.

Lá pelas tantas os maqueiros entraram correndo porta adentro, empurrando um paciente baleado sobre uma maca fria, sem colchão ou mesmo um lençol. Nesses casos, ignorava-se a burocracia. Homem pardo, mais ou menos 25 anos, com um tiro no abdome. Bastavam as informações básicas. Nada de fazer ficha. O destino era: Sala Vermelha. Sem escalas. Nessa sala, os pacientes mais graves, vítimas de facas, de armas de fogo, de acidentes violentos, recebiam os primeiros socorros. O paciente em questão estava mais morto do que vivo. Tinha levado um tiro — um único tiro — no abdome. Mas a bala havia feito um estrago. A pressão dele estava no limite da vida. Lábios pálidos, brancos. Suava frio. A pulsação tão fria como um sussurro.

Era muito jovem. Lembro-me de ouvir o segurança comentar baixinho: "Esse é bandido, doutor". Isso não nos importava. Chegou ao Souza Aguiar, assumíamos a responsabilidade sem distinção. Nossa obrigação era tentar salvar. Cair dentro, como costumamos dizer nas emergências. A linguagem do dia a dia de um hospital pode arrepiar os cabelos daqueles mais sensíveis. Muitas vezes, a sala de cirurgia mais parece uma oficina mecânica, onde cada órgão, cada membro recebe uma importância maior do que o todo, como peças de um automóvel que são isoladas para conserto. "Tem uma barriga ali para avaliar", dizia um. "Veja aquele pé e diga o que achou da sutura", murmurava outro. "Tenho um apêndice para operar", falava o terceiro. Frases comuns, ouvidas todos os dias, traduzindo o distanciamento necessário que o médico cria com o paciente, talvez para sua própria sobrevivência dentro de um sistema desumano.

Entre os papas que circulavam pelos corredores do Souza Aguiar, meu preceptor era o dr. Omar de Freitas, um mestre reconhecido da cirurgia geral no Rio de Janeiro. Era um homem bom, comprometido com o doente, muito seguro e dono de tiradas impagáveis, ditas sempre com expressão séria. Enquanto eu tentava, vacilante, dissecar uma veia no braço do doente para infundir soro e sangue, ele sussurrou no meu ouvido em tom irônico: "Vamos lá, Marcio. Pega logo essa veia. Você notou que o doente tá morrendo?".

Ao mesmo tempo, outro colega entubava o homem que já se encontrava inconsciente. Esse é um dos primeiros procedimentos quando se precisa salvar uma vida — ao introduzir um tubo pela boca até a traqueia, passando pelas cordas vocais, podemos ofertar oxigênio imediatamente e promover a respiração do paciente.

Como a pressão do rapaz estava muito baixa, eu não conseguia identificar veia alguma. Fiz uma segunda incisão transversal na axila e, por milagre, a veia se apresentou. Isolei-a e introduzi um cateter até a veia cava, a mais importante do corpo, responsável por levar o sangue ao coração. Amarrei a veia com um fio de linho para evitar que o sangue refluísse. O sangue preencheu a luz do cateter, dando-me a certeza de que o acesso estava aberto. Infundi assim um litro de soro rapidamente, na tentativa de estabilizar pelo menos um pouco a pressão do ferido. A hemorragia interna era grave. Subimos desabalados para o centro cirúrgico. Espremidos no elevador, ventilando o doente com um ventilador manual.

No centro cirúrgico, como de hábito, o anestesista nos recebeu com cara de poucos amigos. Colocou os monitores no peito do paciente e resmungou: "Porra, vocês me trazem um defunto para operar". Sabíamos da gravidade do caso muito antes dos monitores, mas não havíamos desistido de tentar. E não podíamos perder tempo com rituais.

Antes de se iniciar uma cirurgia há que se cumprir etapas importantes: primeiro, escovação da barriga do doente com soro e sabão, limpando em seguida com uma compressa embebida em álcool. Depois é necessário que o médico faça a escovação das próprias mãos, secando-se cuidadosamente com uma compressa. Com a ajuda da instrumentadora, deverá vestir o capote e calçar as luvas, sem tocar em nada. O próximo passo deverá ser a aplicação de uma solução antibacteriana, instalando em volta os campos cirúrgicos, que são tecidos esterilizados para isolar a área a ser operada. Naquela noite no Souza Aguiar, mal tivemos tempo de colocar a máscara, o capote e calçar as luvas. Bisturi frio. Barriga aberta.

Sangue para todos os lados. Doutor Omar berrando: "Aspirador, aspirador, cadê o aspirador?". O aparelho usado para fazer a sucção do sangue não funcionou. "Compressa, rápido, compressa!", ele ordenou. Começamos a secar a cavidade para tentar enxergar de onde provinha o maior foco de sangramento. A essa altura, a sala já era um filme de terror, com compressas vermelhas espalhadas pelo chão. Esse é um momento importante de uma cirurgia.

Na tentativa de conter temporariamente o sangramento pela compressão do órgão afetado, o cirurgião que está comandando a operação precisa fazer o que chamamos inventário da cavidade abdominal. Avaliar os danos e traçar uma estratégia de acordo com os estragos, adotando a técnica chamada *damage control* — método inicialmente descrito em 1908, que hoje vem adquirindo espaço no manejo de vítimas de traumas graves.

Éramos cinco na sala, dr. Omar, eu, o anestesista, a instrumentadora e o circulante, nome do técnico de enfermagem responsável por providenciar o material necessário. Volta e meia, dr. Omar perguntava: "Está batendo?", "Está vivo?". O estresse era geral. Com a experiência de um grande profissional, ele foi organizando a cirurgia, estabelecendo as prioridades. O projétil, por ser de baixo calibre, havia ricocheteado e atingido vários órgãos.

O fígado estava perfurado. O estômago também. O baço sofrera uma lesão importante. O intestino era uma peneira. E, o mais grave, o pâncreas, um órgão muito difícil de abordar, havia sido atingido. Doutor Omar começou a cirurgia pelo baço. Éramos eu e ele diante da complexidade da missão, como dois garotos na cara do gol, atentos a cada movimento um do outro. Minha função era segurar os instrumentais, afastar, isolar os órgãos para ele operar. Além disso, aspirar o sangue que insistia em inundar a cavidade abdominal. Ele dizia, friamente: "Marcio, segura aí, aperta, não deixa vir sangue". Minha mão chegava a ficar dura, cansada da imobilidade. Eu lá, comprimindo, apertando órgãos com uma intimidade que me assustava, muito maior do que deveria permitir a minha pouca experiência profissional.

Doutor Omar traçou a melhor conduta possível. Ele foi avançando na tensa cirurgia de forma tranquila, com toda técnica, todo cuidado. O sangramento vindo do baço era muito importante. Ele é um órgão solto, porém pesado, cheio de sangue em seu interior. Através dele passam estruturas importantes, com um volumoso fluxo sanguíneo. Doutor Omar arrancou o baço e controlou o sangramento. Eu olhei aquilo e murmurei: "Ué... Em um minuto o senhor tirou o baço?". Ele retrucou: "Calma".

Como o estômago e o intestino estavam perfurados, transbordavam comida e fezes. Tinha arroz, tinha feijão, tinha carne, tudo isso ensopado de sangue. Doutor Omar parecia não se importar com o que para mim era um terror. Ele se concentrou no pâncreas. Habilmente, ligou os vasos e ressecou a cabeça do órgão num instante. E depois retirou uma porção do estômago e do duodeno.

Aos poucos, o paciente começou a dar sinais de melhora. A pressão estabilizou. Tinha recebido, até então, várias bolsas de sangue e lentamente foi nos dando chance de respirar. Doutor Omar fez um novo inventário. E começou a tratar as lesões menos graves. Costurou aqui, acolá, tirou parte do intestino. Por toda a noite, operamos.

Quando chegava ao fim, eu me sentia exausto, mas muito feliz. O cansaço se manifestava nas pernas pesadas e na dor na nuca. Todo plantão era uma escola, matava a minha sede de operar. E aquela cirurgia correra tecnicamente perfeita. Não houve erros. Todas as ações do dr. Omar haviam sido exatas, precisas. Meu coração batia forte, uma alegria de estar ali, de fazer parte daquela equipe, de ser médico.

A cirurgia tem um nome tão longo quanto as horas necessárias para realizá-la: gastroduodenopancreatectomia com esplenectomia, também conhecida como cirurgia de Whipple, nome do cirurgião que primeiro a descreveu, em 1930. É a retirada ou ressecção parcial do estômago, do duodeno e do pâncreas. Por se tratar de uma operação abdominal de grande porte, normalmente não é feita de emergência. É uma operação eletiva, que requer um preparo cuidadoso, geralmente indicada para casos de câncer.

Pelo estreito basculante da sala de cirurgia, nosso único contato com o mundo lá fora, vi que o sol estava nascendo. A luz amarela trêmula, ainda tímida, já anunciando um dia quente, de céu azul. O clima tornou-se mais ameno, mais relaxado. Depois de horas de tensão, adrenalina, concentração, a expressão no rosto de cada um era de dever cumprido. Doutor Omar fez sinal de que ia sair de campo. Cabia ao residente a responsabilidade de fechar o paciente.

Antes que ele deixasse o bloco cirúrgico, porém, o anestesista começou a sinalizar, nervoso. O coração do doente parou. Nova correria. Adrenalina. Massagem cardíaca. Mas nada adiantou. Em apenas alguns segundos, o homem morreu. Eu não conseguia acreditar. Mas como? Deu tudo certo, a cirurgia foi um sucesso, um espetáculo de conduta médica. Morreu? Doutor Omar abandonou a cena, sem dizer nada. Mas eu vi, nos olhos dele, a decepção, a frustração, a raiva.

Fiquei ali com o morto no campo de batalha. Um a um, todos saíram. O rapaz da limpeza me perguntou: "Doutor, posso começar a adiantar o serviço?". Resolvi caprichar na sutura. Fechei aquela barriga com todo o esmero, como se ele fosse se levantar daquela cama e ir para uma festa. Ponto a ponto, fui costurando, costurando. Trinta pontos externos e outros tantos internos. O fechamento da parede abdominal se faz internamente, com uma costura contínua, chamada chuleio, exatamente como o trabalho delicado de uma costureira arrematando uma peça. O fechamento da pele se faz com pontos espaçados. Existe uma máxima em cirurgia que diz o seguinte: você tem que terminar uma operação com a mesma atenção que começou. Os incidentes acontecem quando você relaxa. Não, eu ia terminar o serviço direito, apesar do desfecho fatal.

Minha roupa estava coberta de sangue. Estava consumido pelo cansaço, consumido emocionalmente. Por um lado, pensava: "Arrebentei. Fiz tudo o que eu pude. Doutor Omar agora sabe que pode contar comigo para as urgências vermelhas". Por outro lado, ruminava: "Que contrassenso! Que impotência!".

A formação de um médico é essencialmente técnica. O aluno da escola de medicina aprende a se distanciar da representação idealista e humanista da profissão — motivo, aliás, que o fez escolher tal profissão. Somos levados para uma formação puramente científica, voltada para a atuação especializada. Não existe — simplesmente não existe — uma dimensão humana, filosófica, teológica nas disciplinas regulares da faculdade. O conhecimento nos leva para o ceticismo. Ninguém para nos salvar, para nos dar alento. Depois de uma derrota, uma pergunta sempre gira em *looping*: e se eu tivesse feito assim ou assado? Somos induzidos à superficialidade. Agimos dessa forma porque o sistema de saúde nos impõe velocidade, frieza, distância. Não há tempo para reflexões existenciais. O modelo da prática hospitalar, que certamente se reflete nas escolas de medicina, não tem dado conta de satisfazer as necessidades humanas da classe médica nem tampouco da população.

Mesmo assim — aprendi ao longo dos anos —, todo cirurgião se lembra de cada paciente que perdeu na mesa. Ninguém escapa dos questionamentos silenciosos. Eu nunca escapei. Naquele instante, fechando aquela barriga, caiu a primeira ficha: "Talvez nunca tenha estado nas nossas mãos. Nunca tivemos esse poder. Esse cara ia morrer de qualquer jeito. Estava definido assim. A última palavra não é do médico".

Lições de anatomia

O PRIMEIRO GRANDE CHOQUE levei na aula inaugural de anatomia. Imenso e frio, o anatômico era um salão com mesas de mármore enfileiradas, onde dormiam braços, pernas, torsos, cabeças desmembradas. Peças, na linguagem das escolas de medicina, que estavam sendo estudadas por turmas mais avançadas. A tonalidade da pele daquelas "peças" em nada lembrava o que teriam sido um dia: partes de um ser humano. O-Cheiro! Ele me invadiu, provocando reações involuntárias: lágrimas nos olhos, pelos eriçados, contrações no estômago. Como se meu corpo tivesse sido tomado por aquele cheiro e também ele exalasse formol.

Éramos a turma de 1989 da Escola de Medicina da Universidade Estadual do Rio de Janeiro (UERJ) e estávamos ali para o nosso batismo. A imagem que eu guardara na cabeça vinha de obras de arte. Uma imagem comum na pintura clássica. A cena de uma aula magna sobre o corpo humano: um auditório, pessoas em volta de uma mesa onde repousa um cadáver e um cirurgião no centro das atenções. A obra mais famosa retratando tal cena é do Rembrandt, pintada em 1632 e intitulada *Aula de anatomia do dr. Tulp*. O cenário real era diferente. A diferença estava no cheiro e na palidez de tudo. A ordem implícita nos dizia para fingir naturalidade, autoconfiança, embora nada ali fosse natural ou inspirador.

A algazarra daquele bando de garotos de dezoito, dezenove anos preenchendo o silêncio. Tenho uma foto minha desse dia dando tchau com um braço de um cadáver. Esse era o clima, a nossa tentativa em vão de transformar o choque em descontração. Cabia aos rapazes esconder qualquer emoção. Agíamos como se nada daquilo fosse impactante para nós, os machos. Já as meninas transbordavam reações que os meninos escondiam, com direito a histeria. "Ai! O meu cabelo vai ficar fedendo! Que nojo!" Frases assim ecoavam pela sala. A primeira peça que me coube dissecar foi um braço. Muitas vezes sonhei com o rosto que eu não vi.

Todos nós deveríamos ter o nosso kit básico de anatomia, um estojo contendo pinças cirúrgicas para dissecar órgãos, músculos e vasos: uma pinça de apreensão, chamada Kelly; uma pinça menor, cujo apelido é pinça-mosquito, para isolar estruturas delicadas; e uma terceira pinça, a dente de rato, com dois dentes na ponta, para agarrar o tecido muscular. No estojo havia ainda uma tesoura reta, bem comum, e a tesoura do cirurgião, curva, chamada tesoura *metzenbaum*. Para completar, um bisturi e um porta-agulhas. Eu me orgulhava do meu estojo. Estava ansioso para pôr a mão na massa. Dissecar. Entrar no território sagrado.

Até meados do século XIX, o corpo humano era vedado. Inviolável. No livro *O século dos cirurgiões*, um clássico da literatura médica, lançado em 1956, o autor alemão Jürgen Thorwald destaca uma lei vigente nos primórdios da medicina: "Nunca se conseguirá praticar a ablação dos tumores internos, estejam eles localizados no útero, no estômago, no fígado, no baço ou nos intestinos. Nesse campo, Deus marcou limites aos cirurgiões. Ultrapassá-los é praticar um assassínio".

A um cirurgião do século XIX cabiam apenas pequenas intervenções. Quem ousasse avançar no limite marcado por Deus poderia cair em desgraça. Alguns poucos profissionais ousaram. Mas a morte do paciente era quase certa e a condenação do médico, inevitável. O limite, na verdade, não era imposição divina. Mas física. A dor era o limite.

A primeira "narcotização anestesiante" de um paciente se deu no Hospital Geral de Massachusetts, em Boston, no ano de 1846. O cirurgião William Thomas Green Morton, utilizando éter inalatório, conseguiu retirar um tumor na região da boca de um doente. Após o procedimento, Morton declarou: "A humanidade venceu a dor. Saímos das trevas". A partir daí, como ressalta Thorwald em seu compêndio sobre a história da cirurgia, abriram-se horizontes infinitos: "A cirurgia abandonou um campo de ação estacionado havia séculos, reduzido impiedosamente pelo poder absoluto da dor", escreveu ele em O século dos cirurgiões.

Pouco mais de 150 anos depois, pedaços de seres humanos estavam na minha frente, sem nenhuma solenidade. Não eram mais pessoas. Como livros, corpos haviam se transformado em objeto de estudo. A primeira aula de anatomia é teórica. Iniciamos estudando o sistema musculoesquelético. Os ossos, suas protuberâncias, acidentes, inserções e funções. Depois os músculos. Saí da aula levando debaixo do braço um saco com um esqueleto desmontado e um coração em pote de formol. Meu dever de casa.

A medicina não entrou na minha vida por herança. Meu pai é arquiteto. E minha mãe, filósofa e professora de francês. Nasci e me criei na zona sul do Rio de Janeiro, em Laranjeiras, Leblon e Gávea, com um intervalo de alguns anos no interior de Minas, em Uberlândia. Nossas férias eram na Região dos Lagos. Eu e meu irmão gostávamos de ouvir música e tocar violão. A maior parte dos meus anos de escola passei no colégio São Marcelo, onde fui exposto a toda uma formação cristã. No segundo grau, migrei para o Colégio Bahiense.

SUS

A partir de conceitos formulados pelo movimento da Reforma Sanitária, a Constituição Federal de 1988 inovou ao incorporar uma nova concepção de seguridade social, integrando saúde, previdência e assistência. A chamada "Constituição Cidadã" reconheceu o direito à saúde e o dever do Estado, mediante a garantia de um conjunto de políticas econômicas e sociais, incluindo a criação do Sistema Único de Saúde universal, público, participativo, descentralizado e integral.

O único médico da minha família foi um tio-avô que me trouxe ao mundo na Casa de Saúde São José, em 17 de maio de 1970. Não sei até que ponto ele me influenciou. Certamente influenciou. Mas não decidiu. Faço parte de uma geração que ainda cultuava a medicina. Passar no vestibular era uma batalha. Cursar a escola de medicina, uma honra. Ser doutor, um orgulho da família. Isso tinha um significado, carregava respeito, vaidade, prestígio, valor. Resolvi me tornar médico influenciado, acima de tudo, pelo romantismo da carreira.

Quando vejo o *slogan* da classe médica estampado nos jornais — *O médico vale muito* —, sempre me assusto. Sou acometido por uma estranha nostalgia. Só pede para ser valorizado quem perdeu o valor. Olho para os meus pares com solidariedade, compaixão. Passamos de heróis a vilões. Na falta de uma política de saúde competente, culpa-se o médico. Não que médicos sejam todos incorruptíveis e dedicados ao ofício. Mas boa parte o é. Vivemos uma tragédia na área de saúde.

Lê-se na Constituição: "Saúde, dever do Estado e direito de todos". O nosso governo criou o Sistema Único de Saúde, o **SUS**, do qual dependem 150 milhões de brasileiros. No entanto, não temos nem saúde pública nem saúde privada eficientes diante das dimensões continentais do Brasil. E o médico é o sujeito que está lá, na linha de frente, a face da inoperância, a foto no jornal.

O Brasil faz política na saúde em oposição à política de saúde. Faz-se política de governo em vez de uma política de Estado. Ergue-se um hospital aqui, um posto de saúde acolá, importam-se profissionais. Criam-se soluções eleitoreiras para problemas complexos. Não se pensa a saúde com a profundidade necessária, como um sistema integrado, preventivo, que tem que funcionar em todas as pontas, com uma lógica que precisa juntar as peças do quebra-cabeça. Daí, o caos, a terra de ninguém.

Um jovem médico estreia na carreira com jaleco branco, imaculado. E, ao longo dos anos, a roupa que uma mãe teria cuidado com tanto carinho, alvejando após cada aula, depois de cada plantão vai amarelando, encardindo. É isso o que acontece diante do sistema que nos engole: nós amarelamos.

Nos três primeiros anos do curso de medicina, não estamos habilitados a entrar em um hospital. Ficamos enjaulados, sorvendo a teoria, o que é mais do que necessário, certamente. O desejo latente, porém, é cruzar a fronteira da

O SUS nasceu como uma política de Estado, com prestação de serviços em saúde nos diversos níveis de atenção: básica, de média e de alta complexidade. Depois de 26 anos da sua criação, o projeto ainda resiste, mas de forma precária, com o acúmulo de problemas que tornam mais difícil o acesso à assistência e pior a qualidade do atendimento. Por ter se afastado dos seus princípios fundamentais, o modelo perdeu a credibilidade dos usuários e dos profissionais de saúde.

sala de aula. Eu usava branco o dia inteiro, toda a roupa, não só jaleco. Saía às ruas vestido de médico, cheio de orgulho. Logo que iniciei o quarto ano, tratei de arrumar um plantão.

Eu e um amigo vimos um anúncio no quadro de avisos da universidade: "Estágio no Hospital Salgado Filho. Procurar dr. Leão". Abaixo, o telefone pessoal do médico. Não era o telefone da instituição. Fomos até lá e acabamos admitidos, sem muitos questionamentos. Era um plantão noturno por semana, de doze horas. O Salgado Filho anunciava o porvir, o que me aguardava na carreira: campo de batalha. Havia gente saindo pelos poros do hospital. Minha primeira missão foi vigiar o xixi de um paciente politraumatizado. Ou "poliesculhambado", na linguagem comum entre oficinas mecânicas e emergências dos hospitais.

O paciente tinha sofrido um traumatismo craniano grave, a orelha estava dilacerada, com várias escoriações pelo corpo. Fora encaminhado a uma sala de traumas para doentes críticos recém-chegados. Um parâmetro importante nesses casos é saber se o paciente está urinando. Ele estava com uma sonda, que entra pela uretra, ligada a um coletor de urina. Boa parte da noite não tirei os olhos daquele coletor. Não caía uma gota de xixi.

Fui ficando muito preocupado. Ansioso. Nervoso. Alertava o dr. Leão, mas ele parecia não se importar. Volta e meia, surgia um especialista diferente para avaliar o doente. O cirurgião plástico conferiu o que poderia ser feito para reconstruir a orelha. O cirurgião geral avaliou o abdome, que se apresentava flácido, sem sinais de hemorragia interna. O neurocirurgião examinou as pupilas e os reflexos e solicitou uma tomografia, o que não era possível, pois o tomógrafo estava com defeito. O paciente precisaria ser transferido. A única vez em que precisei me ausentar para ir ao banheiro fui ameaçado por uma paciente psiquiátrica que perambulava pelo corredor do hospital. Com a expressão transtornada, proferiu um soco no ar em minha direção. Consegui me esquivar.

Logo depois, foi contida pelos seguranças. Achei melhor voltar rápido para onde eu estava. Mas minha tarefa eu cumpri: não desgrudei os olhos do coletor de xixi, que permaneceu vazio até o amanhecer, indicativo de que o paciente continuava em estado grave, e seguia piorando.

Dei plantão no Salgado Filho por vários meses. Com o tempo, descobri que o dr. Leão não cultivava uma gota de desejo de formar médicos. Ele precisava de mão de obra, ele precisava de socorro. Não nos aceitou como estagiários com propósito acadêmico. Por mim, tudo bem. Eu queria aprender na fronteira de guerra. E ali era um *front*. Por ironia ou desgraça, os cirurgiões brasileiros se tornam profissionais tarimbados muito mais cedo do que os americanos, por exemplo. Por quê? Justamente pela prática nas nossas emergências. Na América, estudantes de medicina demoram a colocar a mão em um paciente. A formação é mais teórica. Aqui, aprendemos no susto.

Não havia um palmo de chão desocupado, noite de caos no Salgado Filho. O cheiro de uma grande Emergência é algo que não se esquece. Cheiro de abandono, de indigência de pacientes recolhidos das vias públicas, somado ao odor de sangue misturado a urina e desinfetante. Eu ainda era neófito naquele cenário. Ficava meio embasbacado, tonto, nauseado.

No corre-corre, o dr. Leão me deu uma ordem: suturar a cabeça de um paciente. "Você sabe fazer sutura?", ele me perguntou. Respondi: "Acho que sei". Não era um tipo de lesão que necessitasse de centro cirúrgico. Mas tratava-se de um talho considerável e uma sutura exigia um ambiente apropriado. Não, não tinha sala. Eu teria que suturar a cabeça do rapaz com ele sentado no banco, no corredor. Pedi à senhora ao lado do meu paciente para se levantar. Acomodei-me ali como pude.

Sob pressão 27

Em condições normais, o paciente deveria estar deitado e isolado em uma sala limpa para suturas. Teria sua dignidade preservada ao evitar sua exposição durante o procedimento. Recomenda-se nesses casos raspar o cabelo em volta do corte e lavar bastante a ferida com soro fisiológico e sabão. A conduta correta seria essa. Mas ali era quase impossível.

O banco onde o paciente se encontrava estava colocado entre duas paredes, numa esquina do corredor. Eu não tinha espaço para agir. Tentei limpar ao máximo a ferida. Fiz a anestesia local e passei o primeiro ponto pelo couro cabeludo. Com pouca habilidade, meu braço esticou demais e o fio encostou na parede. Não podia. Contaminava. Troquei o fio e comecei de novo. Uma sutura que deveria ter demorado quinze minutos estendeu-se por quase uma hora. Mas resolvi o problema. Pelo menos, resolvi o problema do dr. Leão: liberar espaço no corredor. A ordem implícita era despachar os doentes para casa.

Minha trajetória na escola de medicina seguia sem solavancos. As cadeiras cirúrgicas e a de anatomia eram as que mais me fascinavam. A decisão de me especializar em cirurgia torácica veio bem mais tarde. Mas eu já apresentava os sinais de que seria um médico intervencionista. Há uma máxima presunçosa que diz que quem resolve é o cirurgião. Eu queria operar, resolver.

Nos três períodos finais do curso, o estudante começa o internato, com plantões no hospital universitário, o Hospital Pedro Ernesto. Um interno tem o status de — quase — médico. Já está autorizado a fazer procedimentos mais invasivos, mais ousados. Fazer a punção em veias profundas, dissecar, fazer traqueostomias, eu era fascinado por tais práticas. Além dos plantões semanais no Pedro Ernesto, perambulava por outras emergências. Na época, dei plantões em hospitais grandes como

Miguel Couto e Andaraí. Meu jaleco ainda era branco, sem sinais de amarelar.

No Pedro Ernesto, eu procurava estar sempre no centro cirúrgico. Anunciava aos quatro ventos que estava disponível para todas as cirurgias das quais eu pudesse participar. O ambiente universitário é um lugar de médicos prestigiados, de mestres, com postura acadêmica. Mas muitos erros também faziam parte do nosso cotidiano. A primeira morte na mesa de operação eu presenciei no hospital universitário.

Estava filmando a cirurgia para apresentar um trabalho em sala de aula. Tratava-se de uma cirurgia oncológica no fígado. O cirurgião era um professor mais velho, já em tempo de se aposentar. Além da habilidade técnica, perdera também o senso crítico. Cirurgião sem bom senso se torna perigoso.

Essa história ficou grudada na minha memória. Eu estava ali como observador, e com uma câmera na mão. Quando o cirurgião terminou de fechar a barriga do doente, aconteceu um alvoroço na sala. O monitor indicava que algo estava errado. A residente de anestesista, com os olhos arregalados de espanto, e o residente de cirurgia repetiam: "Não, professor, não termina, não. Está acontecendo alguma coisa. O doente não está bem. Os sinais vitais estão muito fracos. Está chocado". O doutor não deu ouvidos. Questioná-lo era uma afronta. Tirou as luvas, o capote, lavou as mãos — literalmente — e abandonou o centro cirúrgico.

Quando percebeu que o paciente ia morrer, o residente de cirurgia, um R3, o mais alto no escalão da residência, resolveu abrir a barriga de novo. Não vacilou. Pegou o bisturi e cortou. O sangue transbordava pela parede abdominal. O professor havia fechado o paciente com hemorragia interna. Meus olhos estavam esbugalhados. Não só pela tragédia da morte, mas por todo o ambiente de corre-corre, de estresse, de adrenalina. O professor era o vilão. O residente, o herói, que tentava salvar aquela vida.

Naquele instante, eu entendi a importância da decisão. O médico tem que decidir — e agir rápido. O residente tinha nas mãos um caso extremo. O paciente estava morrendo. Era deixar morrer ou tentar salvar. Ele optou.

O óbito se deu em meio ao desespero da anestesista, que tentava reanimar o doente com a administração de drogas e transfusão de sangue. E à decisão corajosa do residente, que abriu o tórax para massagem no coração. Na época, acreditava-se que massagear internamente o órgão era mais eficaz. Hoje, em situações de emergência, sabe-se que não é bem assim. Algumas verdades consideradas absolutas na medicina caem à medida que se adquire conhecimento e evidências. No final da cena, a morte, a barriga aberta, as vísceras expostas, o tórax aberto, sangue, muito sangue. E um inconformismo extremo estampado nos rostos, impregnando o ar.

A minha primeira cirurgia foi uma cesariana. Em teoria, é uma cirurgia bonita. Mas também é uma sujeira danada: líquido amniótico, a mãe às vezes evacua, sangra, sai placenta. O hospital universitário era referência para gestações de alto risco e tinha um grande número de cesarianas. Quase linha de produção, tamanho o volume de partos e a rapidez do procedimento. Quando saí do centro cirúrgico, lembro-me de me gabar com os colegas. Mas com essa experiência o que aprendi não foi nada além de aprender a me escovar.

Fazer a assepsia das mãos corretamente é algo que contribuiu enormemente para a evolução da medicina. No início do século XX, ocorria um número de óbitos muito grande em cirurgias. Não se conhecia o vilão invisível. A infecção pós-operatória vitimava os doentes. Uma enfermeira chamada Florence Nightingale, então, observou durante a Guerra da Crimeia que a simples lavagem das mãos pelos profissionais de saúde começara a reduzir o número de mortes. Florence foi uma das pioneiras das bases da escola de enfermagem atual.

Para se escovar, tem-se que obedecer a uma ordem, mantendo os cotovelos dobrados e as mãos para cima. Começa-se pelas unhas. Gasta-se um bom tempo nelas, pois carregam muitas impurezas. Depois, a escova desce entre os dedos, passa para as mãos, segue pelo antebraço, até o cotovelo. A água tem que escorrer no mesmo sentido, das unhas para os cotovelos. A escovação leva cinco minutos em cada braço. Em seguida, entra-se na sala de cirurgia e vem a enfermeira com compressa. Há uma técnica de secagem. E só aí calçam-se as luvas, tomando cuidado para não se encostar na parte externa delas. Esse é o ritual do cirurgião.

Eu me formei em dezembro de 1994. Com honras e pompas: entrega do diploma no Hotel Nacional, em São Conrado, na zona sul do Rio, e festança em Santa Teresa. Na cerimônia de entrega do diploma, exibi um filme que fiz durante os últimos meses do curso, uma tentativa de bancar o cineasta europeu: imagens em preto e branco, os colegas em ação, música de fundo. Fui um aluno ativo. Participei da comissão de formatura. Durante os seis anos de formação, realizamos eventos no centro acadêmico para recolher fundos para a festa de conclusão da jornada. O baile a rigor foi um sucesso. Meus pais, meu irmão, minha madrinha, eu podia ver o orgulho nos olhos deles. A minha sensação era de sucesso.

Apesar de toda a alegria, era um tempo de grande incerteza. E agora? O que fazer? Qual o próximo passo? Eu já possuía o CRM, podia atuar como médico, mas não tinha segurança para isso. Após as celebrações de formatura, decidi colocar o pé no freio. Não estava preparado para encarar a prova da Residência. Seria outro vestibular. Eu e meu irmão fomos trabalhar com o meu pai.

Ele se aposentara da Souza Cruz e resolvera bancar o empresário. Montamos um quiosque de produtos natalinos num shopping. Nada poderia ser mais diferente, mais inusitado naquele momento: dos centros cirúrgicos para o BarraShopping. Enquanto lidava com estrelinhas, minha cabeça fervilhava. Lembro-me de uma situação insólita: eu, abaixado dentro do quiosque, me escondendo de um professor da faculdade que circulava por ali. Era urgente. Eu precisava fazer uma escolha profissional. E a escolha acabou se materializando para mim.

Quando se forma, um médico é obrigado — muitos escapam, claro — a se apresentar no Exército, na Marinha ou na Aeronáutica. Tem que servir como oficial temporário por um ano. Aconselhado por um colega, optei pela Aeronáutica, com o objetivo de fazer residência em obstetrícia no HCA, Hospital Central da Aeronáutica. Consegui uma vaga no curso de oficiais e, em 1995, embarquei para Barbacena, no interior de Minas.

A cerimônia de despedida dos familiares aconteceu no hangar do III Comando Aéreo Regional, o Comar, com todas as pompas. Uma banda marcial tocava a marcha do adeus. Minha mãe acenava. Um ambiente extremamente militar, cerimonioso, de euforia contida. Achei aquilo tudo muito estranho. Mas estava dado o pontapé inicial para a minha carreira militar. Foram três meses na chamada cidade das rosas, na Escola Preparatória de Cadetes do Ar. Estávamos ali para incorporar a disciplina: marchar, prestar continência, obedecer às normas do regimento, às normas hierárquicas, cantar hinos, lidar com armamentos, com a educação física. Éramos 240 alunos do Brasil inteiro, entre médicos, dentistas e farmacêuticos, todos profissionais de saúde.

O curso se tornou uma festa. Éramos jovens e estávamos numa cidade estranha, longe da família. Eu e alguns novos amigos montamos uma banda de rock e nos apresentávamos noite após noite nos barzinhos de Barbacena. Viramos celebridades locais.

Sem dormir e sem estudar, acabei como último colocado na opção que tinha feito: obstetrícia. Fim da fila. Não fazia ideia de que a minha postura ali definiria o porvir. Ao retornar ao Rio, não consegui a sonhada vaga na ginecologia e obstetrícia do Hospital Central da Aeronáutica. Em vez disso, fui parar numa base militar, ao lado do aeroporto Santos Dumont. As posições eram definidas de acordo com a pontuação. Eu me ferrei.

O Comar representava tudo aquilo que eu não queria da profissão. Minha função consistia em ficar atrás de uma mesa dando atestado médico para soldados em fuga do serviço. Unha encravada, frieira nos pés pelo uso das botas, dor nas costas, dor de cabeça, resfriados eram as reclamações dos meus pacientes. Além disso, reuniões burocráticas com oficiais superiores, formaturas militares, relatórios e relatórios. Depois dos meses de festa em Barbacena, enfim caiu a minha ficha: havia me transformado no aspirante Costa. O nome de guerra me acompanha pelos hospitais. Aonde vou, sou chamado de Costa pelos colegas.

Para escapar do Comar, teria que aguentar um ano para um novo aspirante me render. O salário da Aeronáutica, porém, me possibilitou a saída da casa dos meus pais. Fui morar no Alto Leblon, num apartamento com vista para o mar, que aluguei da minha madrinha por um preço camarada. A vida pessoal levantou voo. Mas a profissional emperrou na pista.

Passava os dias entediado naquele posto médico. Tudo à minha volta era deprimente. Minha fuga era estudar e dormir depois do almoço na enfermaria. Invariavelmente era pego pelo chefe, que me repreendia. Eu fazia questão de transgredir. Aparecia para trabalhar com fitinhas do Senhor do Bonfim amarradas nos braços, lembranças das férias na Bahia. Uma vez, ao prestar continência para um temido brigadeiro, ele disse: "Meu filho, isto aqui é uma casa militar. Você tem que tirar estas pulseiras. Daqui a pouco, vai aparecer de brincos e peruca".

Para burlar o tédio, passei a me candidatar para as missões humanitárias da Força Aérea, chamadas Aciso (Ações Cívico--Sociais). O que era isso? Um programa da FAB que contemplava bolsões de pobreza do Brasil, como o Vale do Jequitinhonha. Equipávamos um avião Bandeirante com médicos, dentistas, farmacêuticos, enfermeiros e remédios básicos para verminoses, hipertensão e diabetes e pousávamos em locais onde a população não tinha acesso à saúde. De certa forma, eu havia me formado exatamente para aquilo.

Na adolescência, sonhava com o Projeto Rondon. As missões eram emocionantes, aventuras incríveis, faziam tudo valer a pena. O avião descia em localidades muito distantes, com pista de terra batida. Éramos esperados pelo prefeito, recebidos como heróis. E atendíamos o dia todo. Filas enormes. Essas missões me deram muita bagagem, muito jogo de cintura para resolver problemas com o mínimo de recursos. Nunca me identifiquei muito com a clínica médica, de estetoscópio no pescoço. Gostava mais dos procedimentos invasivos. Mas, naquelas cidades inóspitas, diante daquela população tão carente, dava o melhor de mim. Sempre quis, com a medicina, fazer diferença. E nessas ocasiões eu conseguia.

Como não havia missões humanitárias o tempo todo, meu foco estava em escapar do Comar. Um amigo me falou que o cirurgião torácico do Hospital do Galeão estava trabalhando sozinho e precisava de um assistente. No último ano da faculdade, fiz cirurgia torácica no internato da UERJ. Sabidamente, era a cadeira cirúrgica mais rígida. Eu chegava cedo na enfermaria, preparava os doentes para as operações, conhecia bem cada um dos casos internados. Tirava dúvidas com os professores, apresentava seminários e ainda competia com os residentes, pleiteando participação nas cirurgias. Ao fim do internato, ganhei 10. Fui o melhor interno do meu ano naquela cadeira, reconhecido pelos professores. A vaga no Hospital do Galeão seria minha, eu sabia.

34 *Marcio Maranhão*

Decidido e confiante, fiz um contato telefônico com o então tenente Antônio Miraldi — logo depois, ele foi promovido a capitão. Conversamos um pouco sobre as minhas expectativas. O doutor Miraldi tinha um bom papo, era um sujeito agradável. Pediu que eu o encontrasse no Hospital do Galeão. Peguei o carro e me dirigi para a Ilha do Governador, onde fica o hospital, disposto a tudo para convencer que eu era o cara para a vaga. Ele gostou de mim e me prometeu ajuda. Enquanto a transferência não acontecia, passei a acompanhá-lo nas cirurgias. Queria mostrar serviço. Mais do que isso, queria demonstrar o meu compromisso com o que me propunha a fazer: cirurgia. Depois de um ano de burocracia militar para transferências, enfim consegui sair do Comar. O Hospital do Galeão era o melhor hospital da Aeronáutica. Lá descobri que não queria mais fazer ginecologia e obstetrícia. Eu redescobri o tórax.

O DESEJO DE FAUSTO

PARA ABRIR UMA CAIXA torácica, é preciso ter peito. O cirurgião tem que peitar a natureza, violar o espaço sagrado do corpo humano, a moradia do coração e do pulmão. E a moradia do espírito, segundo a crença antiga. No filme *Fausto*, do diretor russo Aleksander Sokurov, baseado na obra de Goethe, o protagonista está à procura da alma. A câmera de Sokurov focaliza as experiências científicas do médico ao lado de um assistente. Ansioso por descobrir onde a alma se encontra, o personagem abre o tórax de um cadáver e, enquanto remexe nos órgãos sem luvas, ouvimos a pergunta que ele secretamente se faz: "Encontrou?".

O tórax poderia mesmo ser a casa da alma. A natureza construiu uma caixa protegida por um arcabouço ósseo cartilaginoso: osso esterno, o protetor do coração, localizado no meio do peito, coluna vertebral, costelas, escápulas, clavículas e cartilagens. Uma gaiola perfeita. Abrir um tórax parecia-me o maior desafio de um cirurgião.

Quando eu consegui, enfim, me livrar do trabalho burocrático no Comar, iniciei o programa de Residência em Cirurgia Geral no Hospital do Galeão, complementando com plantões noturnos no Souza Aguiar. O que eu mais queria mesmo era ajudar o tenente Antônio Miraldi nas cirurgias torácicas.

Nunca me esqueci da minha primeira vez. Foi uma situação inesperada, inebriante, o começo de um vício. O paciente era um homem de 45 anos, portador de um tumor benigno na região central do tórax, chamada mediastino. O acesso teria que ser feito serrando o osso esterno ao meio, procedimento chamado esternotomia mediana, que permite a exposição do mediastino anterior. O paciente estava sobre a mesa de cirurgia em decúbito dorsal, já anestesiado. E totalmente invadido, como costumamos dizer: um cateter na coluna para analgesia pós-operatória; uma sonda na bexiga para monitorar o volume de urina; uma punção profunda com outro cateter na veia jugular, para a infusão de líquidos; no braço mais um cateter curto, porém de grosso calibre, para transfusão rápida de sangue caso fosse necessário; uma sonda nasogástrica — do nariz ao estômago — grossa para esvaziar o estômago; um tubo na traqueia para a ventilação; e, finalmente, um cateter fino no punho, para monitorar a pressão arterial. Nas mãos de um anestesista habilidoso, leva-se no mínimo uma hora para preparar o doente.

A equipe estava composta por dois anestesistas, número mínimo recomendado para as cirurgias de grande porte: uma circulante de sala, uma instrumentadora e dois cirurgiões auxiliares. Um deles era eu, no posto de primeiro auxiliar. Todos nós aguardando o cirurgião-chefe, o doutor Miraldi, que havia se atrasado. Como anestesia tem prazo de validade ou, como costumamos dizer, não é vitamina, precisávamos começar. O tempo urgia. A decisão de dar início ou não à cirurgia era minha. Os anestesistas me pressionando. O assistente mais jovem me incentivando: "Vai, Costa, abre o cara". Eu já havia auxiliado o dr. Miraldi na abertura do esterno, conhecia a técnica. Mas daí a passar a serra era outra coisa. Tentei mais um contato telefônico com o chefe, na esperança de ele me dizer que estava entrando no centro cirúrgico, mas não tive sucesso. Respirei fundo, olhei em volta e comecei a me escovar. Tentava ganhar tempo, cumprindo lentamente os rituais previstos. Auxiliado pela instrumentadora, vesti o capote estéril e calcei as luvas. Coloquei os campos cirúrgicos, de modo a deixar exposta apenas a área do tórax a ser operada. Marquei a linha imaginária na pele a ser incisada, comprimindo um fio de linho sobre ela para marcar o local do corte. Com as pernas meio bambas, pedi à instrumentadora, empostando a voz: "Bisturi frio". Cortei a pele nessa linha que cobria toda a extensão do osso. Meu coração batia forte, numa mistura de euforia e tensão.

Após controlar o sangramento da pele e dos tecidos abaixo dela, desnudei a face do osso que iria cortar. Não havia dificuldade até aí. A parte mais delicada era encontrar um espaço entre o esterno e as estruturas do mediastino, a região central do tórax. Na borda superior do esterno fica a fúrcula esternal, extremidade superior do osso esterno. Na extremidade inferior, existe uma estrutura cartilaginosa e estreita, denominada apêndice xifoide. Era necessário dissecar o ligamento que se estendia da fúrcula esternal à clavícula e, cuidadosamente, promover espaço suficiente para introduzir a ponta da serra, semelhante ao instrumento de um serralheiro.

Eu havia aprendido, pela observação, que a exploração digital antes de introduzir a serra era uma boa manobra. Outra manobra também importante era solicitar ao anestesista que parasse de ventilar o doente. Os pulmões tinham que murchar. Fiz duas compressões breves sobre o esterno logo antes de cortá-lo, para afastar estruturas que pudessem estar muito juntas ao osso. O perigo maior na hora de cortar o esterno é perder o controle da serra e atingir os órgãos. O coração mora logo atrás do osso esterno. Não faltava mais nada. O caminho estava preparado para a serra. "Serra de *Stryker*", ordenei.

PEITO ABERTO

O arcabouço ósseo da parede torácica lembra uma gaiola, concebida para proteger as estruturas nobres subjacentes. Existe uma técnica cirúrgica descrita pelo professor Ribeiro Neto, muito utilizada nas doenças inflamatórias do tórax, chamada "bird cage", que desnuda as costelas, separando-as dos músculos e das estruturas fortemente aderidas à parede torácica. A esternotomia é uma incisão traumática, que exige a secção mediana completa do esterno.

Posicionei a serra junto à fúrcula esternal, reafirmei com a anestesista que parasse de ventilar e liguei a máquina. Parecia que a sua vibração faria com que ela sambasse em minhas mãos. Segurei firme. E, de uma tacada só, cortei o esterno de cima a baixo. O momento em que serramos o esterno lembra o trabalho de um marceneiro. Um barulho intenso, microfragmentos de osso pelos ares, como poeira de madeira. Por ser uma área muito vascularizada, o sangue logo inunda o campo operatório. O cirurgião precisa de toda frieza e concentração. A expressão **peito aberto** encaixa-se literalmente para descrever a cena operatória.

Abandonei a serra, não precisaria mais dela, e "caí dentro" para controlar o sangramento. Um mar vermelho transbordava, tingia os campos cirúrgicos. Eu ainda não sabia se aquele sangramento era o esperado ou se havia algum dano a uma estrutura vascular. Sobre o campo cirúrgico da cabeceira, a anestesista me observava, preocupada. Afinal, caberia a ela a função de transfundir o doente caso algo desse errado. "Comprime forte", disse ao meu assistente, controlando a tensão. "Cera de osso", solicitei. Passei cera por toda a superfície cruenta do osso e coagulei tudo o que pude com

40 Marcio Maranhão

o bisturi elétrico. Pedi pelo aspirador. Aspirei todo o sangue coletado no mediastino e pude avaliar as consequências da minha primeira esternotomia.

O sangramento estava controlado sem nenhum dano. Respirei aliviado. O doutor Miraldi entrou na sala. "Ué, já começou, Costa?", ele me perguntou surpreso. Botou a cara por cima do meu ombro, avaliou a incisão e deu a nota: "Muito bom, gente boa. Continua aí que vou me escovar". Estava orgulhoso do seu pupilo. Miraldi sempre me chamava de "gente boa". Hoje me pergunto se aquele atraso não teria sido premeditado. Conhecia os atrasos constantes do meu chefe, mas também conhecia a confiança que depositava em mim e sua nobre intenção em me formar cirurgião. Ele foi extremamente importante para mim. Mais difícil do que ser um bom cirurgião é você formar um bom cirurgião — dizia ele, cheio de orgulho. E mais do que treinar a técnica o cirurgião tem que ter a consciência situacional e aprender a tomar decisões. Foi o que fiz.

Minha trajetória no Hospital do Galeão seguiu sem tropeços. O hospital é um exemplo de que a medicina pública pode funcionar. Deve funcionar. Trata-se de um hospital federal de referência, formador de médicos, que atende

Para abri-lo, utiliza--se uma serra elétrica vibratória. Antes da serra, utilizava-se também um martelo e uma lâmina, estes instrumentos ainda medievais.

Após a abertura da pele, do tecido subcutâneo e da musculatura, chega a hora de serrar o esterno. Momento de apreensão, pois, logo abaixo da estrutura óssea, está o coração e vasos sanguíneos importantes. É necessário fazer a pressão adequada para vencer a resistência apenas do osso, sem o risco de a serra avançar sobre o coração.

militares e seus familiares do país inteiro. O único hospital da Aeronáutica que realiza cirurgias de alta complexidade, como cirurgias torácicas, cardíacas, vasculares, ortopédicas, bariátricas e neurocirurgias. A estrutura física é confortável. Sem luxos, mas eficiente. Fica à beira da baía da Guanabara, logo na entrada da Ilha do Governador. O prédio é horizontal, o que facilita a movimentação dos pacientes. Não há elevador. Os corredores são largos, amplos, ventilados. E, contrariando a lógica do sistema público, vazios. Nenhuma maca, nenhum doente no chão. Um hospital onde é muito bom de trabalhar.

O centro cirúrgico é de ponta, oferece todo o conforto aos profissionais. Para um cirurgião, salas equipadas e estrutura são valiosas mais do que mil tostões. Nada mais apavorante do que operar com precariedade. As enfermarias oferecem dignidade. Cada paciente tem o seu leito, sua intimidade preservada. Não fica exposto, com as vísceras para fora. No correr dos anos, o Hospital do Galeão foi o meu ponto de equilíbrio. O lugar que me deu a chance de crescer e de me tornar médico de verdade. Lá aprendi que podia exercer a medicina com respeito — respeito por mim e pelos pacientes. Comecei em 1996 como oficial temporário, na residência em cirurgia geral, até chegar à rotina da cirurgia torácica, após aprovação em concurso público, em 2002. De aspirante Costa a capitão Costa.

A vida de um médico — principalmente um médico em início de carreira — assemelha-se à de um malabarista. Não há quem não tenha vários empregos. Você tem que jogar todas as bolas para o alto e manejá-las, sem deixar nenhuma cair. Você dá um plantão aqui, outro lá. Dorme pouco ou não dorme de jeito nenhum. E se alimenta de café com leite e queijo quente das cantinas dos hospitais. O queijo quente do Souza Aguiar, diga-se, onde eu passava as noites de plantão, era especialmente bom. Pão bem tostado, com o queijo derramando pelas bordas. Nessa época, pude comparar realidades opostas: um hospital militar federal e um hospital público para pacientes civis. O primeiro, com todos os recursos necessários para uma medicina de excelência, mas para uma população restrita; o segundo, com falta de estrutura, sobrecarregado, para uma população irrestrita.

Em todas as instâncias, aliás, eu vivia rotinas paralelas. Morava no Alto Leblon, frequentava a praia com amigos bem-nascidos e festeiros. No Hospital do Galeão, seguia os passos do dr. Miraldi. Eu estava muito carente de uma referência e ele se tornou um mestre. E, nos plantões no Souza Aguiar, encarava a guerra. Lá, na batalha noturna, o único refúgio era o queijo quente. Quando você olhava em volta e percebia quão impotente era diante daquele inferno, só restava um cafezinho.

Nos primeiros anos de medicina pública, eu me sentia culpado de passar muito tempo na cantina. Ficava aflito, pensando na quantidade de gente apodrecendo nos corredores. Os colegas pareciam sempre mais relaxados do que eu, talvez porque já tivessem entendido nossas limitações. Não dávamos conta de atender todo mundo. Por mais que trabalhássemos, os corredores estariam sempre lotados, fétidos, sonorizados por gemidos de dor. Parecia que enxugávamos gelo. Aquilo não tinha fim, não tinha trégua. Cabia a cada um se dar uma trégua. Ou seja: tomar um café.

A ineficiência nas emergências públicas era reflexo da superlotação e vice-versa. O atendimento se dava de forma fragmentada. Os pacientes ficavam dias nas salas de emergência, ora aguardando leito para internação, ora aguardando definição cirúrgica. A espera e a indefinição compunham o pacote de sofrimento. O que fazer? Eu encarava tudo aquilo como uma possibilidade de sair dali cirurgião. Cirurgião de verdade, tendo experimentado tudo. O que eu dizia para mim mesmo quando o desconsolo começava a se manifestar? Eu repetia o mantra: "Quero ser um cirurgião de verdade". Tal desejo me movia.

Ao mesmo tempo, não existia blindagem suficiente contra a realidade apavorante da saúde pública. Tudo — absolutamente tudo — era repulsivo: do cheiro nauseante ao sofrimento humano extremo. Sentia pura indignação. Chegou um momento em que eu me impus uma conduta pessoal, já que não se percebia uma conduta geral. Em todo plantão, eu escolheria alguns casos e resolveria aqueles casos, custasse o que custasse. Eu faria diferença nem que fosse para uma única pessoa. O caos me fazia muito mal. E tenho certeza de que fazia mal a todo mundo ali. Não era possível passar em brancas nuvens. O sofrimento é contagioso, eu descobri isso naqueles anos de plantão no Souza Aguiar. A dor do outro pega em você.

Havia sempre muitos idosos nos corredores, vítimas de miíase, úlceras provocadas por falta de cuidados. Eles passam muito tempo na cama, sem serem virados de um lado para o outro, e isso causa feridas nas nádegas, nos calcanhares, na cabeça. As feridas viram prato cheio para moscas, larvas. Sem ter como resolver em casa, os familiares acabam jogando os seus velhinhos nas emergências públicas e eles ficam ali esquecidos, transferidos de um plantão para o outro sem receber tratamento. Os médicos sempre têm coisas mais urgentes para resolver. Volta e meia, eu me imbuía da responsabilidade de pegar um paciente com miíase.

A primeira providência era jogar éter na ferida para expulsar as larvas. Com duas máscaras no rosto, não escapava do cheiro de podre que subia, me sufocando. Depois, começava a dissecar, a cortar o tecido necrosado. O paciente não sentia nada. Aquilo era tecido morto, comido por larvas. Geralmente sobrava osso. Terminado o procedimento, eu me perguntava: e agora? O que eu vou fazer com esta pessoa? Não tinha nada a fazer. Não havia como internar para que o ferimento fosse cuidado, tratado dia a dia, com curativos e antibióticos. O que acontecia? O paciente voltava para o corredor. No plantão da semana seguinte, era certo encontrá-lo no mesmo lugar, na mesma posição em que eu havia deixado.

Os sentimentos se misturavam dentro de mim, contraditórios, desgastantes, me consumindo noite após noite. Por um lado, a sensação de impotência. Por outro, a sensação de poder. O Souza Aguiar era a referência de trauma. A Emergência funcionava como numa guerra. Nós éramos a luz no fim do túnel, a única chance. O problema era que o hospital drenava casos do estado inteiro, dada sua importância. Obviamente isso representava caos. Todos que ali trabalhavam carregavam uma certa prepotência. Mas, no fundo, ninguém estava livre da reflexão muda. Eu vivia me remoendo. Aprisionado entre a realização pessoal e a desgraça coletiva.

Quando o dia amanhecia, saboreando o meu queijo quente e café com leite fumegante, era hora de decidir: ir para casa tomar banho e chegar muito atrasado no Hospital do Galeão ou não ir para casa tomar banho e chegar um pouco atrasado? Às vezes, eu me resolvia pelo banho. Na maioria das vezes, porém, seguia direto. Chegava à Ilha do Governador com o sapato, a roupa, tudo respingado de sangue. Isso me conferia certo status. Eu estava voltando da guerra. Alguém sempre fazia a piada: "O plantão foi bom, hein, Costa!". De fato, dar plantão numa Emergência como a do Souza Aguiar te conferia um algo mais, a agilidade. Cirurgias eletivas, como as que aconteciam no Hospital do Galeão, tornavam-se — quase — passeio no parque.

Não tinha sábado, não tinha domingo, não tinha dia santo. Era todo santo dia. Eu achava normal emendar. Passava a noite de plantão e na manhã seguinte encarava uma cirurgia grande. E tudo bem. Os cirurgiões carregam um certo complexo de Super-Homem. Lembro-me de que sexta-feira eu pegava o que sobrou de mim e ia para casa. Vivia sozinho no belo apartamento de três quatros, confortável, amplo. Olhava o mar e pensava: "Está maravilhoso. Tudo certo". Eu estava conquistando degraus profissionais, ganhava habilidade a cada dia. Estava me tornando um cirurgião. Sentia-me, porém, tão cansado que adormecia no sofá, assistindo à televisão. No sábado, voltava para o Hospital do Galeão para passar a visita nos pacientes operados. Eu ia ao hospital de segunda a segunda. E dava pelo menos dois plantões por semana no Souza Aguiar, além dos plantões obrigatórios no CTI do Hospital do Galeão. Havia meses em que eu chegava a fazer quinze plantões, incluindo os finais de semana. Na soma dos dias, sentia-me feliz.

Por quê? Talvez a resposta seja vocação. O ritual de uma cirurgia representa poder, prazer, conquista, desafio. Na hora em que o paciente está na sua frente, preparado, é pura adrenalina. Você diz para todos em volta: "Podemos começar?". E começa. Passa o bisturi e inicia o ritual. Dar início a uma cirurgia é uma catarse. Você tem que estar ligado em tudo, em cada detalhe. Vem, então, a ansiedade de todas as ansiedades: ver o que você vai encontrar ali dentro. A expectativa para fazer o inventário e decidir como agir é imensa, gigante, toma conta de você.

Controlar a ansiedade é um grande exercício do cirurgião. É preciso usá-la ao seu favor. Uma dose de estresse ajuda. Mas é preciso calma para definir a conduta. Imagine: o tórax está aberto na sua frente. Você pode pegar com suas mãos o coração, o pulmão daquela pessoa. Esse é, sem dúvida, o contato mais íntimo com a vida que pode existir. O momento mais bonito é quando você acaba de abrir e vê os pulmões ventilando, inflando e desinflando. Assistir a essa fisiologia respiratória é presenciar o sopro da vida. Quando você pega nos pulmões, eles aceitam ser amassados, encolhem-se no canto. O nome técnico é atelectasia. Para que você possa trabalhar na cavidade torácica, é preciso comprimir o pulmão cuidadosamente para afastá-lo do campo de visão.

Quando o cirurgião termina o trabalho, o anestesista insufla de novo os pulmões. E você assiste ao sopro. De novo, o sopro da vida. Eles vão se insinuando, se expandindo até ganhar todo o espaço da cavidade. É lindo, emocionante. No início da carreira, conservamos um pudor. Com o tempo de centro cirúrgico, ficamos íntimos do órgão. Sabemos do que ele gosta, do que ele não gosta. No fim das contas, já nos referimos a ele com intimidade. Não é incomum ouvir frases do gênero na sala de cirurgia: "Apalpa o bofe aí". "Bofe" é o apelido do pulmão. Engraçado pensar: o lugar onde Fausto procurava a alma hoje abriga o "bofe" das emergências públicas.

O maior escândalo

Jovem, afoito, inexperiente ainda nos caminhos da saúde pública brasileira, eu não me conformava. Passei a viver em um estado permanente de indignação. Conseguia vislumbrar o futuro — ou a falta de futuro — dos doentes. E o descaso como um rastro em todos os hospitais por onde passava. Depois do Souza Aguiar, minha jornada agora combinava plantões no Hospital do Galeão, em hospitais particulares e no Instituto de Tisiologia e Pneumologia (ITP), hospital vinculado à UFRJ, talvez o maior escândalo da medicina pública que já presenciei.

Naqueles tempos, não podia haver melhor escola para um candidato a cirurgião de tórax do que o ITP, um centro de excelência, regido por um corpo clínico formado por mestres, que lutava bravamente para se manter. Eu me alistei nesse *front* — e cheguei até, literalmente, o fim. Fui o último residente do maior hospital do Rio de Janeiro especializado e dedicado ao estudo da tuberculose. Em 2000, o ITP fechou as portas por falta de recursos, deixando para trás uma legião de órfãos.

Não é difícil entender por que o fechamento do ITP foi uma tragédia. Os números são eloquentes: o Brasil figura na lista dos

22 países que concentram 80% dos casos de tuberculose, ocupando a 16ª posição. Segundo dados da Organização Mundial de Saúde (OMS), um terço da população do mundo, aproximadamente 2 bilhões de pessoas, está infectada com o bacilo de Koch, o causador da tuberculose, e a cada ano são detectados 8,8 milhões de novos casos. Nosso país tem 60 milhões de infectados. São aproximadamente 5 mil mortes, todos os anos. O Rio de Janeiro concentra a maior taxa de incidência de tuberculose do Brasil — 83,7 por 100 mil habitantes, sendo 54% dos pacientes residentes na capital. Por que fechar um centro de excelência que tratava uma doença cuja incidência é um vexame internacional? Qual a lógica da nossa política de saúde?

A classe social dos doentes do ITP explica o desprezo e a negligência. Tuberculose é uma doença da pobreza. Acomete quem tem fome, quem está abandonado, vivendo em locais de adensamento populacional, como as favelas cariocas, e viajando em conduções lotadas, respirando o ar do outro, cafungando no cangote do vizinho. O bacilo de Koch — *Mycobacterium tuberculosis* — manifesta-se preferencialmente em organismos debilitados por álcool, desnutrição e tabagismo. Ele é covarde, aproveita-se da fraqueza. O ITP representava a esperança e, muitas vezes, a salvação dessa legião de invisíveis. Eles procuravam o instituto como o último recurso para obter acesso à saúde. Acabavam encontrando muito mais do que isso. Encontravam respeito à sua condição.

O Instituto de Tisiologia e Pneumologia foi criado em 24 de outubro de 1957 pelo professor Antônio Ibiapina, como parte integrante do Centro de Ciências da Saúde da UFRJ, e se tornou um marco no tratamento das doenças do tórax, principalmente da tuberculose. Polarizava com o Sanatório Raphael de Paula e Souza, em Curicica, fundado um pouco antes, em 1952. O ITP ocupava um prédio de cinco pavilhões, cercado pela comunidade do Caju, zona norte do Rio. Eram 67 leitos de enfermaria e mais uma unidade de recuperação cirúrgica com três leitos, totalizando setenta leitos. Um hospital pequeno e eficiente, que envergava reconhecida participação no campo da pesquisa e do ensino nas áreas das patologias cardiopulmonares, bacteriologia, fisiopatologia e da quimioterapia para a tuberculose.

Cheguei ao ITP em 1997, com o uniforme branco, tinindo, salivando para absorver tudo o que aquele lugar poderia me oferecer. O instituto já vivia então uma esquizofrenia. Por um lado, contava com um corpo clínico de excelência, era um centro de produção de conhecimento, de pesquisa. Como possuía o maior número de casos de sangramento pulmonar maciço no mundo, publicava trabalhos importantes na comunidade científica nacional e internacional. Involuntariamente, provava com resultados que investir só em tecnologia e equipamentos não garante excelência. Para ser referência um hospital precisa, em primeiro lugar, investir em profissionais. A equipe médica era o grande trunfo do ITP.

Por outro lado, porém, o instituto sofria com o sucateamento insidioso, reflexo da escassez de **recursos orçamentários**. Desde a criação do Hospital

RECURSOS ORÇAMENTÁRIOS
Em 2011, a OCDE comparou os gastos com saúde de 41 países. O Brasil realizou o sétimo menor gasto total *per capita*: R$ 2.384,83. Os demais países gastaram em média R$ 7.597,75 por pessoa. Comparando o percentual do PIB investido em saúde, o país ocupou o 18º. lugar, com 8,9%, incluindo gastos públicos e privados. Os investimentos do governo na área aumentaram de R$ 52,9 bilhões em 2008 para R$ 89,1 bilhões em 2012.

Universitário Clementino Fraga Filho, em 1978, o ITP foi perdendo recursos e passou a depender da remuneração dos serviços médicos assistenciais que prestava, o que era insuficiente. A falta de dinheiro refletia no cotidiano. Tinha dias que éramos obrigados a desmarcar uma cirurgia porque o elevador de porta pantográfica não estava funcionando e não havia modos de descer o doente para o centro cirúrgico. Cancelávamos procedimentos por falta do mais básico de um hospital, como sangue para transfusão ou mesmo drenos e fios para sutura. Tudo no ITP pedia socorro. Os equipamentos eram antigos. Não havia aparelhos sofisticados nem tampouco recursos de imagem elaborados. Os respiradores funcionavam com gambiarras. O CTI era simples, com estrutura de enfermaria. As limitações do ITP, ao longo dos anos, tornaram-se crônicas.

Fui para o ITP instigado pelo meu chefe no Hospital do Galeão, o dr. Miraldi. Ele dizia: "Quer ser um cirurgião do tórax, vai aprender no ITP". Foi o que eu fiz. Era um privilégio estar ali, no serviço de cirurgia torácica chefiado pelo professor Carlos Alberto Guimarães, referência na área pelo notório saber. Culto, tenaz defensor da língua portuguesa, comprometido com o ensino e com a melhor evidência científica para tratar os doentes e ensinar seus pares. Acabei sendo chamado para auxiliá-lo em cirurgias fora do instituto. Lembro-me de quando fui convidado para auxiliá-lo em uma operação no hospital São José do Avaí, em Itaperuna, a 365 quilômetros do Rio. Levamos quatro horas de carro. Conversamos bastante. Foi uma aula de cultura geral e conduta médica. No entanto, não era necessário ir muito longe do ITP. Tudo o que eu queria concentrava-se no instituto: mestres para me ensinar e muitos pacientes para operar. Entendendo essa oportunidade como mais uma batalha da guerra que é a formação de um cirurgião, digo que meu treino foi maravilhoso, o melhor possível.

No dia a dia no ITP, meu preceptor era o doutor Giovanni Marsico, um dos melhores cirurgiões torácicos do Brasil. Corpulento, de origem italiana, dotado de farta cabeleira grisalha, generoso como ele só, o doutor Giovanni tinha o dom da simplicidade e um bom senso afiado. Ele me adotou, tratava-me como a um filho. Minha maior compensação no instituto era acompanhá-lo nas discussões clínicas sobre os casos complicados que batiam à porta. Não havia conduta pronta no ITP, predefinida para os pacientes. A melhor conduta era a possível, aquela que o doente suportaria, fruto dessas longas e ricas reuniões clínicas. Com o avanço do estrangulamento orçamentário, o número de cirurgias foi diminuindo. Mas a alma acadêmica e de excelência prevalecia.

Como único residente de um centro formador de profissionais e sem concorrentes para disputar os procedimentos, colhi os benefícios. Lá estava eu em todas as grandes cirurgias, broncoscopias rígidas, drenagens de tórax, biópsias de pleura, traqueostomias e, claro, nas visitas aos pacientes nos finais de semana. Acompanhava caso por caso, fazia questão de saber tudo dos doentes. A abordagem à doença *granulomatosa*, como a tuberculose, é completamente diferente da abordagem ao câncer de pulmão, caracterizado por um tumor localizado.

Na tuberculose pulmonar, observamos a deformação e a inflamação das estruturas da cavidade torácica. Mudam o arcabouço do tórax e a vascularização. Artérias da espessura de um fio de cabelo, por exemplo, tornam-se grossas, de grosso calibre. Há também a formação de uma nova vascularização pelas aderências firmes entre os órgãos e a parede interna do tórax, difíceis de serem vencidas. Às vezes, só o descolamento do pulmão da parede torácica consumia horas de cirurgia. O cirurgião tinha que fazer força para liberar as aderências endurecidas. Um trabalho braçal. Tal comparação, aliás, encontra respaldo no significado

SOB PRESSÃO 53

etimológico da palavra cirurgia: "arte, ofício no qual se empregam as mãos para sua execução".

Operar um pulmão com sequela de tuberculose é um desafio. O bacilo de Koch come o órgão, cria cavernas, provoca uma erosão no órgão que sangra, sangra, sangra... Chamamos hemoptise o sangramento de origem pulmonar. A cavidade ou caverna pulmonar quando habitada pelo bacilo ou colonizada por fungos fica destruída, possibilitando o sangramento. Quando em pequena quantidade, o paciente apresenta tosse, escarros com raias de sangue — ou hemoptoicos. Quando em maior quantidade, o paciente expectora sangue vermelho-vivo, o que chamamos hemoptise maciça. Esse sangramento inunda os alvéolos, cai nos brônquios e na traqueia, comprometendo a respiração. O paciente morre por asfixia. Sua árvore respiratória é literalmente inundada por sangue e secreção.

A hemoptise maciça se dá quando o doente expectora uma quantidade estimada de meio litro de sangue em 24 horas. A primeira medida frente a uma hemoptise maciça é realizar um exame chamado broncoscopia rígida. Trata-se de um procedimento no qual o paciente tem que estar sedado para a introdução na traqueia, através da cavidade oral, de um tubo rígido de metal com lúmen, cujo objetivo é identificar a origem do sangramento, se do pulmão direito ou do esquerdo; controlar o sangramento pela instilação de soro gelado, aspirar o sangue e secreções e, principalmente, ventilar o doente com oxigênio. Conseguia-se com a broncoscopia rígida controlar a hemorragia pulmonar aguda. É um procedimento aparentemente medieval, mas seguro e salvador de vidas. Para o ITP, corriam doentes em todos os estágios. Atuar em hospitais localizados em bolsões de miséria nos ensina muito.

A rotina no ITP exigia jogo de cintura e poder de decisão. Muitas vezes era preciso apelar para o improviso. Certa feita, apareceu na porta um paciente extremamente grave, em agonia respiratória. Como boa parte dos pacientes que aportavam ali, uma vítima do alcoolismo, do tabagismo, da vida nas ruas. O rapaz era jovem, negro, desnutrido e muito franzino. Apresentava-se com respiração ofegante e suava frio. Mal conseguia pronunciar o próprio nome. Eu estava terminando de realizar um exame de broncoscopia diagnóstica no centro cirúrgico quando fui chamado pela enfermagem para avaliar o doente. Após examiná-lo e ver sua radiografia de tórax, indiquei um procedimento que chamamos toracocentese com biopsia pleural, uma punção com agulha no tórax para aspirar o líquido acumulado na pleura.

Tratava-se de uma punção na lateral do tórax, na altura da quinta costela, com agulha grossa, a fim de aliviar a quantidade de líquido que comprometia a respiração e também conhecer a origem desse líquido. A biopsia da pleura é feita com uma agulha especial, que possui uma lâmina cortante em sua extremidade e proporciona a retirada de pequenos fragmentos da pleura. O procedimento é feito com anestesia local. Assim que introduzi a agulha e aspirei, um líquido leitoso, malcheiroso, preencheu a seringa. Diagnóstico: empiema ou piotórax, acúmulo de pus no espaço pleural.

Concluída a biopsia, parti para um procedimento mais invasivo, chamado toracostomia com drenagem pleural fechada. Consistia em fazer uma incisão na pele de aproximadamente três centímetros, no mesmo local da punção, dissecar com a tesoura os planos musculares, introduzindo o instrumento até furar a pleura. Depois, colocar o dedo dentro do tórax para liberar possíveis aderências e, logo em seguida, introduzir um dreno de silicone por entre as costelas até o espaço pleural para esvaziar o conteúdo infectado.

Tudo corria bem, até o momento em que precisei do dreno. Não havia dreno adequado. Imaginei que não precisaria checar o básico. Puro engano. O que fazer? O risco de morte para o doente era iminente. E o risco de não intervir era maior do que intervir. Foi então que tive a ideia de usar uma mangueira, dessas de jardim, utilizada nos respiradores do CTI para auxiliar no modo da ventilação. Arranquei a mangueira, cortei no tamanho desejado, fiz algumas fenestras nas laterais, escovei-a como pude com água e sabão e a mergulhei numa solução desinfetante. Introduzi a mangueira no tórax do doente por entre as costelas até o espaço pleural. O objetivo foi cumprido.

Um líquido morno e fétido jorrou pela mangueira, encharcando os campos cirúrgicos, o meu capote e o chão. O cheiro era forte, nauseante, tomava todo o ambiente, ignorando a proteção da máscara cirúrgica, como se invadisse as narinas e a pele. Um cheiro bem típico de infecção por germes anaeróbios. Logo o recipiente coletor encheu. Havia mais de dois litros de pus naquele tórax. A respiração do doente, que era curta e rápida, tornou-se mais profunda e lenta. O rosto aliviado do doente foi a minha recompensa por realizar uma cirurgia na base do improviso.

Soa como uma técnica medieval, talvez porque a tuberculose seja uma doença medieval. Uma das manobras operatórias que usávamos no ITP em pacientes muito graves, sem condições físicas para uma ressecção de parte do pulmão, era a chamada cirurgia de plumbagem — ou colapsoterapia: técnica cujo objetivo é amassar o pulmão doente com a colocação de *plombes* — ou pesos — para provocar o colapso, impedindo-o assim de continuar sangrando. Como se faz isso? Abre-se o tórax por uma incisão lateral, chamada toracotomia. Secciona-se, então, os planos musculares com o bisturi elétrico até o gradil costal. Aberta a musculatura intercostal, afastam-se as costelas para se ter acesso à cavidade torácica. Utiliza-se um afastador mecânico chamado *finochietto*, que facilita a separação das costelas. Depois, trabalha-se na liberação do pulmão aderido à parede do tórax. E, então, realiza-se a plumbagem. O cirurgião amassa o pulmão doente e, para impedir que ele volte a inflar, preenche o espaço com bolinhas de pingue-pongue devidamente desinfetadas.

Numa cirurgia de plumbagem, podem ser usadas até vinte bolinhas de pingue-pongue. Depende da conformação do tórax. Para segurá-las no lugar, tecemos uma rede em volta das costelas com fios absorvíveis pelo organismo. Normalmente, as bolinhas permanecem dentro do doente por seis meses. Enquanto isso, o paciente é tratado com medicamentos para controlar a infecção e recebe alimentação reforçada para melhorar seu estado nutricional. Quando ele apresenta condições físicas para enfrentar uma cirurgia de maior porte, as bolinhas de pingue-pongue são retiradas. A técnica da plumbagem é uma manobra para evitar o sangramento e ganhar tempo de vida para o doente.

A primeira vez que encarei uma cirurgia para a retirada de bolinhas de pingue-pongue de um paciente foi traumática. Estava no bloco cirúrgico com o anestesista, o doutor Samuel, um sujeito boa-praça, engraçado, macaco velho, além de excelente profissional. Aguardávamos o professor para começar. Nada. Ele não chegava. A enfermeira do bloco cirúrgico avisou que o professor havia ficado preso numa reunião com o diretor. Eu e o anestesista ficamos num impasse, num dilema. O Samuel tinha pressa, estava com outra cirurgia agendada. Para agilizar as coisas, choramingou: "Vamos lá, Costa. É só tirar essas bolinhas. Não tem mistério. Começa logo". Como não suporto ser desafiado, iniciei sozinho. Uma cirurgia de tórax exige, no mínimo, dois profissionais em campo operatório, além da equipe auxiliar. Eu me meti a subir no palco para um solo, apenas com o auxílio da instrumentadora, imaginando que o professor chegaria logo em seguida.

Minha expectativa era a mais pueril possível. Pensei que assim que o tórax estivesse aberto as bolinhas saltariam para fora. Por conta do processo inflamatório, a pleura, uma fina membrana translúcida, havia se transformado numa carapaça dura, espessa, difícil de ser ultrapassada. Eu suava, minhas pernas bambearam. Cortei a pleura com o bisturi elétrico e nada de bolinhas, só sangue. Olhei suplicante para o anestesista: "Não estou encontrando bolinha nenhuma, Samuel". Ele percebeu a enrascada em que havia me metido. "Vai aí, pô. Tem que estar aí", disse e saiu de fininho para ligar para o professor. Eu fiquei ali, tenso, maldizendo a hora em que aceitei o desafio.

A intenção com aquele gesto precipitado foi conquistar autonomia. Queria que o professor, ao entrar na sala de cirurgia, encontrasse o doente operado. Cirurgião é vaidoso e o doente paga por isso. Logo depois, o chefe chegou. Não me deu uma bronca, como era de se esperar. Disse: "Vai abrindo, abre mais". Com a orientação, fui ganhando segurança até que as bolinhas de pingue-pongue, enfim, surgiram na minha frente, completamente diferentes do que eu imaginara. Elas haviam se transformado em objetos amassados, amarelados e se encontravam entranhadas nas estruturas do tórax. Tirá-las não era fácil. Eu tentava puxar uma e vinha alguma estrutura junto, provocando sangramento. O trabalho precisava ser feito com absoluta concentração, delicadeza e técnica. Quando terminamos, o professor saiu da sala sem falar nada, nenhuma palavra. A frustração que eu senti com aquele silêncio, sem saber se ele tinha aprovado ou não minha atitude, foi recompensada pelo sucesso da cirurgia.

Entre todas as operações realizadas no ITP, havia uma que ocupava o posto de mais exaustiva: a pleuropneumonectomia. Consiste na retirada da pleura e do pulmão destruído pela tuberculose. Consome cerca de oito a nove horas de trabalho na mesa de cirurgia. A pleuropneumonectomia exige muito da equipe. Tal trabalho começa bem antes da entrada no bloco cirúrgico, com a conferência de cada detalhe.

58 *Marcio Maranhão*

No ITP, dos materiais necessários para essa operação, o mais curioso era o preservativo. Quando retiramos o pulmão, fica um vazio na metade operada do tórax, que será preenchida por líquidos e pelo rearranjo da caixa torácica, do outro pulmão e do músculo diafragma. Até que isso aconteça, para evitar que o coração se desvie do eixo central, deixamos uma camisinha cheia de ar por 48 horas dentro do tórax. O preservativo é feito com um látex resistente, passível de desinfecção. Sem balão de camisinha, corre-se o risco de o coração sair do lugar, causando o que chamamos balanço do mediastino, uma complicação cirúrgica mortal. O preservativo era uma solução simples, inusitada, com bons resultados e — principalmente — barata. Nunca deixamos de operar por falta de camisinha.

Em 2000, o hospital entrou em coma. A situação foi se agravando, ficando cada vez mais precária. E não havia a quem recorrer. Não tínhamos mais como trabalhar. O desânimo tomou conta da equipe. Havia o medo de entrar na sala de cirurgia sem as condições mínimas necessárias. Além da pobreza interna, que carcomia nosso ânimo, a pobreza externa. A favela do Caju crescia assustadoramente, tomando conta do entorno do ITP. Marginais perambulavam pelo estacionamento. Atender aos chamados noturnos virou risco de vida. O mais assustador de tudo, porém, era o silêncio. O ITP era tão invisível quanto os seus pacientes. Não saía uma linha na imprensa denunciando a tragédia de uma das instituições mais importantes no tratamento da tuberculose. Ninguém parecia se incomodar com o que se passava dentro e fora do hospital de referência da UFRJ.

O tratamento da tuberculose é muito específico. Requer comprometimento do doente por no mínimo seis meses. E, sobretudo, o ITP não era qualquer hospital, mas uma referência em todo mundo. Como podia simplesmente fechar as portas? Por mais que se fizesse uma análise de custo para manter o instituto

SOB PRESSÃO 59

FUNDÃO

O prédio fica no campus da Universidade Federal do Rio de Janeiro (UFRJ). Uma construção retangular, de treze andares, à beira da avenida Brasil, com 110 mil metros quadrados de área construída. Inaugurado em 1978, o Fundão é considerado um dos mais importantes hospitais universitários do país. A realidade do lado de dentro, porém, desmente o status que a instituição ocupa. O cenário é de profundo abandono. Pedaços de papelão substituem os vidros quebrados das janelas.

funcionando no Caju, as contas não fechavam. A política de incorporação do ITP ao **Fundão**, o hospital universitário da UFRJ, foi a saída que restou, embora o prejuízo para a população fosse inegável.

Os profissionais que trabalhavam no instituto acabaram, aos poucos, absorvidos pelo Hospital Universitário Clementino Fraga Filho. Foi criado um novo instituto lá dentro, chamado IDT — Instituto de Doenças do Tórax. Houve uma conturbada fusão entre os serviços de cirurgia torácica. O Hospital do Fundão não tinha tradição cirúrgica no manuseio de pacientes com tuberculose. Apesar da precariedade absoluta, o ITP era o lugar deles, um hospital de profissionais que conheciam a matéria. Existia uma chefia presente, existia conduta cirúrgica, compromisso com a pesquisa e com o ensino, compromisso com o doente. Tudo o que não existe no sistema público. O processo foi perverso, dramático, silencioso. Os recursos foram acabando enquanto os pacientes continuavam batendo à nossa porta, entre a vida e a morte.

Numa manhã de verão, ano 2000, virada do milênio, sol a pino, calor de amolecer os miolos, cheguei para trabalhar e me deparei com uma cena que

60 *Marcio Maranhão*

jamais vou esquecer. Meus colegas, capitaneados pelo professor Carlos Alberto, caminhando em direção à avenida Brasil em protesto contra a morte do ITP. Um serviço de cirurgia torácica único como aquele levava anos para se construir e pouco tempo para acabar. De longe, enxerguei os jalecos brancos, os cartazes no ar. Pude notar a perplexidade nos rostos que caminhavam para protestar a favor do que prevê a Constituição brasileira: "A saúde é direito de todos e dever do Estado". Um direito fundamental do ser humano, acrescento. Lágrimas me vieram aos olhos. Larguei o carro e me juntei a eles. Infelizmente, não éramos muitos. Minha carreira como cirurgião torácico apenas começava. Mas senti aquilo como o fim. O fim da utopia.

Por todo lado que se olha, há uma ala desativada, um aparelho encaixotado, algo que não funciona. Mas, ao contrário da maioria dos hospitais públicos, o Hospital do Fundão não sofre com superlotação. O abandono não é apenas da estrutura física. Não existem doentes porque os médicos não têm condições de operar, já que faltam materiais básicos, de fios de sutura até bolsas de sangue para transfusão e leitos de CTI.

LENITA

Os MEUS DOMINGOS TRANSCORRIAM em plantões no Hospital Balbino, no bairro de Olaria, zona norte do Rio. Para o Balbino, eu também cumpria o sobreaviso. Ou seja: toda vez que o bipe tocava, sendo ou não domingo, tinha que correr para lá, para socorrer os traumas de tórax. O hospital é privado e atende principalmente a classe C, pessoas que não têm dinheiro para pagar um plano de saúde caro, mas podem fugir do SUS optando por um mais acessível.

Num amanhecer morno de novembro de 1998, após uma operação para a retirada de um tumor no pulmão que avançara noite adentro, entrei no CTI trazendo na maca o paciente operado. Naquele instante, minha vida mudou o curso, numa guinada novelesca, fora do roteiro que eu traçara para mim. Ali trombei — no sentido de colidir — com o destino. Eu me apaixonei.

O Balbino foi também o meu encontro com a medicina privada, onde comecei a entender a profundidade da tragédia da saúde no Brasil. Nem saúde pública e nem privada, essa era a percepção. Aquelas pessoas que se esforçavam todos os meses para pagar o plano não tinham o seu direito garantido. Não raro se

> **PLANOS DE SAÚDE**
> No Brasil, 25% da população possuem planos de saúde privados. Os estados com maior cobertura são São Paulo (44%), Rio de Janeiro (37%) e Espírito Santo (32%). Cinco estados têm cobertura inferior a 10%: Acre, Maranhão, Roraima, Tocantins e Piauí. As internações pelo SUS de beneficiários de planos privados aumentaram de 101.747, em 2001, para 222.944, em 2012. No mesmo período, as despesas com essas internações cresceram de R$ 61 milhões para R$ 337 milhões.

surpreendiam com as negativas da operadora de cobertura ou reembolso, com a demora na autorização de procedimentos, a impossibilidade de marcação de exames e consultas, o não cumprimento de prazos. Pagando pelo plano, talvez estivessem um pouco melhor do que aqueles que amargavam o limbo do sistema público, que dependiam exclusivamente dele. Mas não estavam salvos.

Segundo o Ministério da Saúde, em 2013, cerca de 48 milhões de brasileiros possuíam **planos de saúde** privados. Estes procuram assistência médica nos mais de 4.500 hospitais particulares do Brasil. No município do Rio, temos 7.835 leitos privados contra 6.374 do SUS. O Hospital Balbino está inserido nesse cenário. Possui uma estrutura de hospital de médio porte, com 150 leitos de internação, ocupando quatro prédios de seis andares. Atende cerca de 30 mil pessoas por mês. Hospitais como o Balbino são a artéria vital do sistema de saúde misto do país. Na teoria, a população se divide entre o SUS, sustentado pelo governo, e os hospitais privados, garantidos pelas operadoras. Na prática, porém, a matemática não fecha. Ao invés de um sistema misto, possuímos um sistema misturado, onde sofrem os pacientes, sofrem os

64 Marcio Maranhão

médicos, sofrem até os donos dos hospitais. No Balbino, aos poucos, fui enxergando a realidade.

Aos 28 anos, independente financeiramente, morando sozinho, cheio de sonhos profissionais, estava casado com a medicina. Vivia intensamente o cruzamento de realidades distintas da saúde, com grande interesse e envolvimento: a miséria do ITP, um hospital da UFRJ; o conforto do Hospital do Galeão, também federal, mas exclusivo dos militares; e o Balbino. Minha vida pessoal estava em suspenso. Mantinha apenas namoricos furtivos. Naquela manhã de novembro de 1998, porém, o destino me pegou de jeito, desavisado, indefeso.

Assim que pisei no CTI, eu a vi: uma médica linda, sorriso largo e sincero, vestida com jaleco branco e com estetoscópio no pescoço. Ela veio me receber. Olhei-a de relance e a reconheci. Chamava-se Lenita e havia sido minha colega no colégio São Marcelo, na Gávea. Era a menina mais popular da escola. Meu coração disparou. Não a encontrava desde os tempos do São Marcelo. Não sabia que a Lenita Balbino era também médica e muito menos que era filha do dono do Hospital Balbino.

Os plantões no Balbino nunca mais foram os mesmos. Daí em diante,

Tais números refletem a recusa das operadoras de planos de saúde em prestar atendimento. Entre 2000 e 2012, houve um aumento de 57% no número de beneficiários. Dezoito milhões de pessoas aderiram aos planos de saúde. O fato de uma pessoa ser beneficiária de um plano de saúde privado não significa que ela não recorrerá ao SUS. Os planos não cobrem todos os serviços. Além disso, alguns hospitais públicos são referência em determinados procedimentos de alta complexidade.

ansiava por eles, passava a semana esperando o domingo. Chegava ao hospital e a primeira providência era descobrir onde ela estava. Virei o mestre das artimanhas da conquista. Para me aproximar, arrumava um jeito de precisar da ajuda da Lenita. Motivos triviais, como uma dúvida em um eletrocardiograma, um pedido de auxílio para algum procedimento no CTI. Numa tarde feliz, tomei coragem e a convidei para sair. Estávamos numa situação insólita, ambos à beira do leito de uma paciente grave no CTI, realizando uma traqueostomia. Lenita segurava os afastadores de forma delicada, abrindo o caminho para eu agir no pescoço da paciente.

O som dos monitores e o cheiro de carne queimada proveniente do uso do bisturi elétrico que eu usava para a coagulação não contribuíam em nada para tornar o ambiente menos impróprio para a paquera. Mesmo assim, olhei-a sobre a máscara e disparei: "Quer jantar comigo?". Ela me olhou e disse que pensava que eu era noivo. "Noivo? Eu?", perguntei. Uma das enfermeiras plantara o falso boato, o que me encheu de confiança. Se havia o boato, havia o interesse. Lenita estava recém-separada, com dois filhos para criar. E se considerava "a roubadinha do século", como me disse ali, com o seu sorriso franco. Não foi naquele dia que venci sua resistência. Mas as cartas haviam sido postas na mesa. Plantão após plantão, passei a tentar convencê-la de que não era bem assim, de que ela não era, nem de longe, uma roubada. Estava encantado por aquela mulher.

Entre CTI e enfermarias, descobri em Lenita a minha parceira para a vida. E a vida incluía percalços. Logo nos primeiros encontros, marcamos uma viagem de final de semana. Estávamos eufóricos, os dois, no início da paixão. Era sábado de manhã bem cedo quando nos preparávamos para zarpar. Eu precisaria passar uma visita rápida em um paciente no ITP para retirar um dreno. Como era no caminho, Lenita me acompanhou. Dali partiríamos direto para Itaipava, na serra de Petrópolis. Seguimos para a favela do Caju, Lenita usava um vestido leve, calçava sandálias rasteiras, exibia uma exuberância que eu ainda não conhecia. Ao chegar ao ITP, aproveitei para mostrar rapidamente o hospital. Tínhamos pressa. Na enfermaria, examinei o doente, retirei o dreno torácico num piscar de olhos, sem tempo a perder. Fiz o curativo, o relato no prontuário, a prescrição e passei orientações para a enfermagem. Pronto para partir.

Mas logo no trajeto para o estacionamento fui abordado por uma enfermeira esbaforida com ar de preocupação que me pedia para avaliar um paciente que acabara de surgir no ambulatório. Olhei para Lenita, ela olhou para mim e piscou, cúmplice. Caminhamos juntos para o ambulatório, onde encontramos um homem de meia-idade sentado no degrau, bem franzino, em agonia respiratória, escarrando sangue vivo, urgindo por uma broncoscopia rígida. Só de ver aquele senhor eu já sabia: tratava-se de um caso de hemoptise maciça. Diante da cena, só havia um caminho a seguir, o do bloco cirúrgico. O ITP era o único hospital no Rio de Janeiro que tinha uma estrutura pronta 24 horas por dia para atender casos de hemoptise. Lenita não pestanejou. Cobriu o vestido esvoaçante com o capote dos cirurgiões, colocou os óculos e a máscara bico de pato, específica para proteger o médico do contagioso bacilo da tuberculose. Eu também me paramentei. Nossa viagem romântica se transformou numa operação de salvamento.

Assim que entramos na sala de cirurgia, Lenita administrou na veia do paciente uma medicação para acalmá-lo e instalou uma hidratação venosa. Monitorou os sinais vitais e postou-se na cabeceira do doente, como faria uma anestesista. O paciente estava agitado e confuso, respirava muito mal, se mexia bastante na mesa. Lenita o ventilava com oxigênio puro. Aumentar a sedação era arriscado. Cabia a mim introduzir o tubo rapidamente na traqueia do doente para ventilá-lo adequadamente. Pedi aos enfermeiros que o segurassem, envolvendo-o num lençol. Aspirei numa seringa vinte mililitros de anestésico. Puncionei o pescoço com uma agulha fina, num gesto preciso. Com isso, pude injetar o anestésico direto na traqueia na tentativa de sedar o reflexo da tosse. Puxei sua língua para fora da boca com cuidado para ele não me morder. Protegi os dentes que ainda restavam da arcada superior com gaze e tentei introduzir o tubo rígido.

Olhando por dentro do tubo, meu campo de visão era restrito, afetado pela quantidade de secreção e sangue. No aspirador, só vinha sangue vermelho-vivo. Eu me curvava na tentativa de identificar o que me interessava: a glote e as cordas vocais, a porta de entrada da traqueia. Não conseguia ver nada, sangue voava na minha cara, sujava a máscara e embaçava os óculos. A situação era extremamente crítica. A saturação de oxigênio na corrente sanguínea estava baixa e os níveis de CO_2, altos. Temi pela vida do doente. Minha impressão era de que não conseguiria. Retirei o aparelho e limpei bem a boca do paciente. Pressionei a máscara de oxigênio firmemente sobre sua face, obrigando-o a respirar o gás. Minha testa suava. Lenita observava, tensa.

Reposicionei o doente estendendo ainda mais o seu pescoço, colocando um suporte sob suas costas. Decidido, introduzi o tubo mais uma vez. Pude identificar de relance a glote. Era a minha única chance de salvar o paciente. Sem piscar, passei com o aparelho por entre as cordas vocais e avancei até a traqueia. Sucesso. O doente estava entubado, podia respirar. Iniciei então o processo de controle do sangramento. Aspirei e lavei o pulmão acometido com soro gelado. O soro gelado promove a vasoconstrição e, com isso, a diminuição do sangramento. No aspirador, já se notava um conteúdo mais claro, que indicava que a hemorragia estava sendo controlada. Foram duas horas até finalizarmos o procedimento.

Quando terminamos, o cenário era vermelho. Os azulejos brancos encontravam-se manchados de sangue, com respingos até no teto. Compressas sujas espalhavam-se pelo chão. Nossas roupas estavam imundas. Lenita me olhava com ar de admiração. E eu olhava para ela com o mesmo sentimento. "Bem-vinda ao ITP", eu disse. Ali concluí: Lenita tinha alma de médica. Cansados, sujos e suados, partimos ainda mais felizes para o que restava do nosso fim de semana. Estávamos leves. A situação vivida — favela do Caju, tuberculose, sangue na cara, a salvação de uma vida — anunciava o contraste entre realidades que promoveria nosso encontro. Seguimos para o hotel confortável, entre as montanhas da serra de Petrópolis.

Apaixonado por Lenita e pela medicina, passei a seguir de muito perto a história e a agonia do Hospital Balbino — e, por tabela, a agonia dos hospitais privados de pequeno e médio porte, artéria vital que mantém o sistema de saúde em tênue e sofrido equilíbrio. Ainda nos anos 1950, o pai da Lenita, Benedicto Balbino, saiu do Espírito Santo para estudar na capital do país. De família numerosa e sem recursos, o doutor Balbino, como é chamado por todos, aprendeu a ler com as irmãs.

Ao aportar no Rio de Janeiro, trabalhou como entregador de leite na Central do Brasil. A duras penas, conseguiu se formar em medicina em 1962, pela Universidade do Brasil, que em 1965 passou a chamar-se Universidade Federal do Rio de Janeiro. Seu irmão havia trilhado o mesmo caminho pouco tempo antes. Eles, então, tiveram uma ideia: abrir uma clínica em Olaria, cobrar barato pelas consultas e, assim, conquistar muitos pacientes. Já nos anos 1970, a clínica começou a ser ampliada, chegando aos 150 leitos que possui hoje. O grande diferencial dos irmãos Balbino foi crescer sem perder a característica de clínica familiar, onde o paciente recebe tratamento carinhoso e individualizado.

Na década de 1980, vieram os planos de saúde. E o cenário mudou. Hospitais como o Balbino foram sendo asfixiados, arroxados, sufocados. Convivendo de perto com a família de Lenita, tive a oportunidade de enxergar a medicina privada por outro

INGLATERRA

O SUS inglês é chamado National Health Service (NHS) e considerado um dos melhores do mundo, com a maior estrutura. Emprega 1,3 milhão de pessoas e atende 1 milhão de pacientes a cada 36 horas. Devido ao tamanho e à complexidade, a qualidade do serviço varia dependendo da região do Reino Unido, mas as pesquisas apontam que a maioria da população, cerca de 78%, se considera satisfeita com o atendimento. O governo britânico investe 8,2% do PIB em saúde — ou US$ 3.438 *per capita*.

ângulo, o ponto de vista de quem está ali, atrás do balcão, mantendo o hospital de pé. Trata-se de uma ciência complexa. Não é uma matemática muito simples de entender.

Nas últimas duas décadas, a medicina foi se tornando cada vez mais sofisticada e cada vez mais cara, com a incorporação periódica de novas tecnologias. A transferência de custos passou então a ser uma prática do negócio da saúde, onde as operadoras e seguradoras repassam parte dos custos para os hospitais, médicos e pacientes. Dos envolvidos, são elas que detêm o maior poder de barganha.

Vamos fazer as contas — e refletir: um quarto da população do país é assistida por planos de saúde, que tiveram um faturamento de R$ 90 bilhões em 2013. Por outro lado, 152 milhões de brasileiros são assistidos pelo SUS, que teve uma receita de R$ 88 bilhões no mesmo ano. O modelo público de atenção à saúde estagnou-se na baixa qualidade, focando na maioria pobre da população. Em 2011, a Organização para a Cooperação e o Desenvolvimento Econômico (OCDE) comparou os gastos com saúde de 41 países. O Brasil realizou o sétimo menor gasto total com saúde por pessoa: R$ 2.384,83. Os demais países-membros da OCDE gastam, em média, R$ 7.597,75.

Países com sistema universal de saúde, como **Inglaterra** e **França**, aplicam entre 8% e 9% do PIB na saúde. O subfinanciamento da saúde no Brasil, ligado à má gestão e à deficiência na formação dos profissionais de saúde, transforma o SUS em um sistema perverso, onde o desperdício de vidas é o maior prejuízo. Temos, portanto, um Sistema Único de Saúde que almeja ser universal, integral e equânime, mas que não consegue absorver todo mundo. E nem oferece qualidade na assistência que presta. Neste cenário, reinam as operadoras e seguradoras dos planos de saúde.

Elas são a fonte pagadora dos hospitais privados. Respondem por 70% do faturamento. Como os reembolsos são feitos segundo regras imprecisas, com prazos indeterminados para pagamentos aos prestadores de serviço, hospitais de pequeno e médio porte acabam asfixiados financeiramente e fecham as portas.

O médico, por sua vez, recebe pelo seu trabalho da forma ainda mais incompreensível e injusta. Por exemplo: se o doente está internado numa enfermaria, o médico ganha X pela visita. Se está em quarto particular, o dobro desse valor.

FRANÇA

Com um sistema universal de saúde, financiado pelo Estado, o país gasta 9,3% do PIB no setor, US$ 3.969 *per capita*, valor superior à média dos países europeus. O modelo vem de uma tradição inaugurada no ano de 650, quando foi criado o hospital Hôtel-Dieu, em Paris, para os pobres. O sistema mistura seguro público com contribuição na folha de salário. A população tem o cartão de seguridade, para quitar despesas médicas e com remédios.

ESTADOS UNIDOS

Não possuem um sistema público de cobertura universal. A principal razão pode ser atribuída à ética liberal da sociedade americana. O modelo brasileiro guarda algumas semelhanças com o sistema dos EUA, em que a população se divide entre a saúde pública e a privada. No entanto, a maioria dos americanos (75%), depende dos planos de saúde privados, caracterizando uma proporção inversa à do Brasil. Algumas negativas de tratamento dos planos de saúde no Brasil não são toleradas nos EUA.

Vincula-se o pagamento à acomodação. Varia também com o que chamamos "produto do seu plano", os benefícios aos quais o doente terá direito em função dos valores pagos mensalmente.

Existem muitas contradições, injustiças e acertos a serem feitos no modelo de remuneração do cirurgião. Não há, por exemplo, indexação com o tempo de formado, os títulos que adquiriu ao longo da carreira, trabalhos publicados, resultados e desfechos clínicos. Não se leva em conta a performance do cirurgião. A cirurgia é um código na tabela e pronto. Independentemente do resultado da cirurgia, a remuneração é a mesma. Além dos valores baixos, os médicos também não são pagos de imediato, recebendo por uma cirurgia meses depois de realizá-la.

O labirinto da saúde no Brasil é escuro, uma caixa-preta. O país não possui um sistema misto, mas misturado. As operadoras jogam um jogo que não admitem perder. Se o paciente precisa de um tratamento muito caro, regateiam até que o doente, sem saída, vá procurar o SUS.

A obrigação que as operadoras deveriam ter de ressarcir o sistema público pelo tratamento de um paciente segurado ocupa hoje lugar importante no debate da saúde no Brasil. Por causa das negativas de cobertura, um percentual cada vez maior de usuários da saúde complementar são levados forçosamente a procurar o sus, pressionando ainda mais o sistema.

Nos últimos cinco anos, segundo a Associação Nacional de Hospitais Privados (ANAHP), mais de 280 hospitais particulares fecharam as portas, eliminando 18.322 leitos. Está aí o grande paradoxo: se o Brasil não consegue universalizar o sistema público, não deveria pelo menos cuidar dos prestadores de saúde privados, equilibrando a balança entre hospitais e operadoras? O que aprender com modelos praticados em outros países, como **Canadá**, **Estados Unidos** ou **Uruguai**? Como não existe o equilíbrio, o país caminha sem ter um sistema de saúde eficiente nem na esfera pública, nem na privada. Órgãos regulatórios não regulam como deveriam. Quem mais sofre, obviamente, é a ponta do sistema: o doente.

No Balbino, vivi situações tragicômicas que evidenciam essa lógica invertida. Certa feita, eu, o médico, vi a cor do dinheiro, por vias tortas. Havia operado um homem baleado no peito. Pela proximidade com o Complexo do Alemão, o QG do Comando Vermelho,

Nos Estados Unidos, 46,3 milhões de pessoas não tinham cobertura até 2008. Nesse número, estavam incluídos os imigrantes ilegais e os americanos que ganhavam mais de US$ 50 mil por ano. O sistema atual é bastante criticado por ser caro e ineficaz. Tem indicadores de saúde inferiores aos de vários países europeus. Em 2007, os Estados Unidos gastaram US$ 2,2 trilhões, o equivalente a 16,2% do PIB, em assistência médica.

CANADÁ

O Canadá ocupa o terceiro lugar no *ranking* do Índice de Desenvolvimento Humano (IDH), atrás apenas da Islândia e da Noruega. O país investe 8% do PIB em saúde, US$ 4.314 *per capita*.

Os governos das dez províncias canadenses têm autonomia sobre a organização dos serviços de saúde. O sistema é definido como um seguro público ou nacional, financiado por fontes fiscais compartilhadas entre os governos federal e provinciais.

recebíamos na Emergência muitas vítimas da guerra do tráfico. Quando retornei ao hospital para passar a visita, no dia seguinte da cirurgia, fui informado de que o paciente fora transferido para o hospital do sistema penitenciário. A secretária do centro cirúrgico, então, me chamou na sala da enfermagem: "Doutor Marcio, a família deixou este pacote aqui para o senhor", ela disse, "seu pagamento".

Tratava-se de um maço de dinheiro vivo dentro de um envelope pardo, três vezes mais do que eu receberia pelo convênio. Fiquei ali parado, questionando a mim mesmo: "Devo aceitar?". Os médicos costumam esperar meses para receber das operadoras. Mas o gesto me parecia impróprio, ao mesmo tempo em que me perguntava: devolver para quem? Agradecer a quem pela remuneração do meu trabalho? Lembro-me de guardar o dinheiro na pasta: "Sou merecedor".

Em outra ocasião, auxiliei uma cirurgia de um paciente com câncer, tiramos um pulmão, e ele teve uma excelente recuperação. Como foram semanas de visitas pós-operatórias, acabei ficando amigo da família. Quando o doente foi me visitar no consultório, depois de receber alta, levou-me de presente uma bela camisa social. A família era humilde,

74 *Marcio Maranhão*

distinta e simpática. Como a camisa ficou pequena, fui à loja trocar. Descobri que o presente custava mais caro do que o valor que a operadora me pagaria pela cirurgia e só meses depois. Parece uma anedota. Infelizmente, não é.

A situação é bem mais dramática do que aparenta a superfície. Nos escândalos que vêm à tona, a imprensa costuma apontar culpados, uma saída fácil para um problema complexo. Convencionou-se atribuir à classe médica a vilania. Enquanto isso, as autoridades optam por tentativas levianas e eleitoreiras em total desalinho com as organizações que defendem os profissionais de saúde. O corporativismo da classe médica pode também oferecer obstáculos para discussões mais amplas e profundas, tanto no setor público quanto no privado. Mas o que se nota, o resultado mais grave para a sociedade, é a ruptura de confiança na classe médica.

Como médico, eu sempre me questiono: e se fôssemos mais bem remunerados? Se as operadoras, em parceria com o governo, estabelecessem ações preventivas? Se o governo investisse mais na atenção básica? Se o negócio da saúde fosse mais equilibrado, menos tendencioso, com a criação de uma cadeia de valor na qual o doente

URUGUAI

Conta com um sistema misto de saúde, como o Brasil, composto por entidades públicas e privadas. Segundo o Instituto Nacional de Estatística do Uruguai, metade da população é filiada a uma instituição médica privada. O restante conta apenas com a saúde pública. O Ministério da Saúde é responsável pela avaliação e pelo monitoramento, tanto da assistência médica pública como da privada. Cerca de 15 mil médicos atuam no país. Os recursos humanos são destacados como ponto favorável da saúde no Uruguai.

fosse o principal beneficiado? O sistema está doente. Desistimos de construir um sistema universal de saúde. Estamos caminhando a passos largos para um sistema cada vez mais desigual.

Lenita e eu nos casamos em 2000, numa cerimônia em casa, para os amigos mais próximos. No mesmo ano, a família cresceu. Além de João e Antônio, filhos do primeiro casamento de Lenita, chegou Malu. Ela nasceu na maternidade do Hospital Balbino, assim como todos os primos e irmãos. Na época, Lenita atuava na clínica geral e iniciava sua trajetória como diretora do hospital, ao lado do irmão Luciano Balbino. Conciliava a vida de mãe, filha, esposa, diretora e médica. Assim como eu, trabalhava muito, além da conta.

Em 2002, veio o nosso quarto filho, Caio. Eu cursava o estágio obrigatório para ingressar no quadro da ativa da Aeronáutica, em Belo Horizonte. Voltei correndo para assistir ao parto. Era junho de 2002 e o Brasil sagrava-se pentacampeão do mundo, na final no Japão. Ao mesmo tempo, o Rio de Janeiro registrou 288 mil casos de dengue, matando 91 pessoas. A segunda pior epidemia do estado. A omissão do Ministério da Saúde foi apontada como uma das principais causas.

EU-SOU-SEU-MÉDICO

O DOENTE PÚBLICO NÃO é de ninguém. A esse diagnóstico eu cheguei quando assumi o cargo de cirurgião torácico do Hospital Estadual Adão Pereira Nunes, o Hospital de Saracuruna, como é conhecido na Baixada Fluminense. Fiz o concurso público em 2001 e me tornei cirurgião do Estado. Meu primeiro voo solo, depois de terminados os cinco anos de residência. Tenho guardado até hoje o primeiro contracheque, com data de admissão em 6/12/2001. E valor: R$ 1.442,40. Com descontos: R$ 1.249,88, menos do que dois salários mínimos.

O Saracuruna era — e continua sendo — um hospital grande, com cerca de 250 leitos, plantado às margens da avenida Washington Luís. Para lá são encaminhadas as vítimas de acidentes nas estradas próximas ou de conflitos armados, traumas de todas as ordens e, claro, a parcela miserável da população da região. A construção vertical tem cinco andares, relativamente moderna, com corredores muito largos, que conferem ao ambiente uma sensação de conforto. Segundo a Secretaria Estadual de Saúde, trata-se de um hospital de referência para traumas de coluna. Isso não é exatamente uma verdade. Um hospital de referência exige bem mais do que corredores largos. Exige condições de trabalho, profissionais renomados, centro de pesquisa, de produção de conhecimento. Não era o caso.

Fiquei no Saracuruna oito anos. Foi a experiência decisiva para eu me despedir do sistema público. A experiência decisiva para eu amarelar. Além do cansaço e da frustração, meu último contracheque data de 27/2/2009. Valor: R$ 1.542,32. Com descontos: R$ 1.372,67. Em oito anos, R$ 99, 92 de aumento.

O Rio de Janeiro é o estado que menos investe em saúde. No *ranking* nacional, ocupa o último lugar, com R$ 5,2 bilhões destinados ao setor, apenas 7% do orçamento de R$ 72,7 bilhões. De acordo com dados do IBGE, Duque de Caxias é o terceiro município mais populoso do estado do Rio, 900 mil habitantes. E conta apenas com um único hospital estadual, o Saracuruna. Em Duque de Caixas, encontramos 134 hospitais e clínicas privadas e 59 postos de saúde municipais.

Ao assumir o cargo em Saracuruna, continuei como cirurgião do Galeão e também a dar plantões no Hospital Balbino. Estava no meu auge. Jaleco tinindo de branco. Tinha conquistado o que eu desejava: ser cirurgião. A opção de fazer um concurso tem raízes profundas, históricas. Pertencer à saúde pública era importante para mim como cidadão. Significava uma retribuição ao serviço público que me formou. E, além disso, naquele tempo, trabalhar em hospital público ainda tinha uma representatividade dentro da classe médica.

Alguns serviços tornavam-se reconhecidos pelo nome do professor-chefe da especialidade. Por exemplo: Serviço de Cirurgia Torácica do professor Ribeiro Neto, quando nos referíamos ao serviço do Souza Aguiar. Costumo brincar que fazer parte da estrutura pública era como jogar no Barcelona. Todos os bons médicos queriam e mantinham um pé no SUS, principalmente nos hospitais-escola. É impressionante como isso mudou. Médicos foram se aposentando e não houve renovação dos quadros. Restavam poucos medalhões ainda em atividade. Olhando em retrospectiva, só se passaram vinte anos. A curva de qualidade da medicina pública desceu verticalmente.

Em tese, o que o sistema público oferece ao médico? A resposta é pragmática: uma riqueza imensurável de casos clínicos complexos. O leque é tão diverso, tão vasto, que nos possibilita evoluir, crescer como profissionais. Minha motivação principal era essa: estabelecer-me como cirurgião de tórax na medicina pública, atendendo de forma plena a casos variados, independente da natureza da doença, fosse câncer, tuberculose ou trauma.

Aos 31 anos, eu era um jovem batalhador, sonhador, romântico, que buscava na sala de cirurgia a realização plena. Queria operar. O dia a dia em Saracuruna, porém, foi me fazendo enxergar quanto um médico pode se tornar perigoso para o doente. Sempre me policiava para evitar ser um risco a mais dentro daquele caos. Trazia comigo o conceito primordial de Hipócrates, o pai da medicina: "Primeiro, não fazer mal".

Para trabalhar naquele hospital, o médico via-se obrigado a fazer todas as concessões. Além do **salário** pífio, enfrentávamos a falta de tudo. Nada pode ser mais angustiante para um cirurgião do que entrar no bloco cirúrgico às cegas, sabendo que terá que apelar para o jeitinho. A piada de corredor era: "De concessão em concessão, chega-se à prostituição". Um dia, você operava com o fio inadequado para a sutura, no outro, faltavam o dreno, a compressa, a gaze. Com o passar do tempo, os meus sentimentos foram se misturando, corrosivos. Por um lado, eu tinha o que

SALÁRIO

Segundo a presidente do Conselho Regional de Medicina do Estado do Rio de Janeiro (Cremerj), Maria Rosa de Araújo, faltam médicos para atender a população porque os governos optaram por uma política de desvalorização do concurso público, incentivando a contratação de médicos temporários pelas Organizações Sociais que hoje administram boa parte dos hospitais do SUS.

buscava: a abundância de casos. Por outro, experimentava um misto de angústia, revolta, insatisfação.

O sucateamento progressivo minava a minha resistência, como um veneno. Em contrapartida, eu era cobrado como um funcionário público comum. Sim, eu era um funcionário público, um especialista no tórax, em um hospital de referência para trauma. E o que queriam de mim? Queriam que cumprisse rigidamente as vinte horas semanais, que assinasse o ponto. O ponto não me interessava. Estava interessado em encontrar o tomógrafo funcionando, o fio certo para sutura, a tesoura boa, a pinça adequada, o afastador de costelas ideal, drenos de todos os calibres... Digo que na maioria das profissões um erro é apenas um erro. Na nossa, um erro pode implicar a morte de alguém. Tomar a decisão certa, a decisão que serve ao doente e não à instituição ou à própria vaidade do médico é algo tão precioso como saber manejar o bisturi. Isso parece óbvio. No cotidiano de um hospital como o Saracuruna, porém, não é. Muitas vezes, o sistema nos empurrava para uma cirurgia desnecessária.

O senhor Walmor era um paciente-freguês, de 58 anos, estivador, que trabalhava no porto, tabagista inveterado.

Tinha uma doença pulmonar bilateral. Os pulmões eram cheios de bolhas, e volta e meia uma estourava, rompia. Ele precisava correr para o hospital, colocar um dreno no tórax para retirar o ar que se acumulara na pleura e esperar até a cicatrização do local do rompimento. Numa dessas idas e vindas ao hospital, com alguns períodos longos de internação, o senhor Walmor precisou de quatro drenos no tórax ao mesmo tempo; dois de cada lado.

Passei a cuidar desse senhor regularmente. Criamos uma relação de confiança. Numa tarde de folga em casa, recebo uma ligação de um colega, num tom elevado: "O seu Walmor não quer ser operado, falou que você é o médico dele. Você não pode fazer isso. Ele é um paciente da instituição". Retruquei. E a discussão pegou fogo. "Olha só: eu estou fazendo o mais difícil, eu estou assumindo o doente, o risco. Deixa que do seu Walmor eu cuido". O caso foi parar na direção. Sentia falta das discussões clínicas do ITP, onde os casos eram estudados e debatidos em tom acadêmico.

Na minha avaliação, o senhor Walmor não podia ser operado. Precisávamos ser conservadores no caso dele. Sustentar uma conduta cautelosa perante os colegas, às vezes, é mais difícil

Os médicos não se fixam na rede pública. As Organizações Sociais pagam melhor, mas, além de terem perfil eleitoreiro e clientelista, não oferecem estabilidade. O último concurso para médicos do Ministério da Saúde foi realizado em janeiro de 2010, com salário de R$ 2.222,72. Já o último realizado pela Secretaria Estadual de Saúde do RJ foi 2007, com salário de R$ 1.500,00. A Secretaria Municipal de Saúde fez seu último concurso em janeiro de 2008, com salário de R$ 669,48.

O SEU MÉDICO
Para cada mil usuários de planos de saúde, existem 7,6 médicos. Já para cada mil usuários do SUS, apenas 1,95 médico. Um dos maiores problemas do sistema de saúde no Brasil, segundo relatório divulgado em 2013 pelo Tribunal de Contas da União, é a desigualdade entre as regiões do país. A quantidade de médicos em cada estado varia de 0,71 até 4,09 médicos por mil habitantes. São 318.429 médicos no Brasil: 4,3% no Norte, 7,6% no Centro-Oeste, 18% no Nordeste, 15,5% no Sul e 54,6% no Sudeste.

do que operar. Mas eu estava seguro. Seus pulmões eram como gelatina, friáveis. Se você tentasse ressecar as bolhas e suturar em seguida, rasgaria tudo. O tratamento apenas com a drenagem era o procedimento mais adequado. Sabendo como as coisas se davam no hospital, recomendei ao seu Walmor várias vezes: "Não deixa ninguém te operar. Eu sou o seu médico".

Esta frase simples, Eu-Sou-Seu--Médico, soava como bálsamo para um paciente do sistema público. Raramente alguém assumia dessa maneira um doente. Cheguei a fornecer a ele o meu número de celular. Habitualmente, o doente pertence a um serviço e não a um doutor. A assistência pública não tem rosto, não tem pessoalidade, não tem proximidade. Experimente entrar numa Emergência ou enfermaria e perguntar: Quem é **o seu médico**? Nenhum paciente saberá responder.

A loucura do SUS pode induzir o médico a tirar o corpo fora. Cria uma atmosfera em que o doente não é de ninguém, sem que qualquer um assuma a responsabilidade por ele. Quando chega um profissional com um pouco mais de disponibilidade, ele se torna venerado. Aquele a que todos se referem com a mesma frase: "Esse médico é

82 Marcio Maranhão

muito bom, uma beleza". Bom só porque se deu ao trabalho de dizer o próprio nome, de escutar a história do doente, de fazer uma anamnese mais detalhada, de acompanhar o caso.

A complexidade da medicina pública exige pressa, e a pressa é contrária à boa prática. Seu Walmor tornou-se tão grato a mim que durante anos me ligou emocionado na noite do ano-novo. No final da arenga, por conta do caso dele, venceu a minha avaliação. Para a direção do hospital, operar logo o senhor Walmor e mandá-lo para casa significava liberar leito. Para mim, não operá-lo era seguir o princípio de Hipócrates.

Com os anos, fui entendendo que a pulverização da responsabilidade era grave, muito grave. Nas visitas de final de semana, eu costumava circular no hospital com quarenta prontuários debaixo do braço, sem a menor ideia daqueles casos. Era obrigado a avaliar pacientes que eu mal conhecia. Naqueles relatos, o paciente resumia-se a poucas e mal traçadas linhas. Comecei assim a ter receio da minha própria prática. Uma sensação desconfortável, de conivência, de cumplicidade com tudo de errado à minha volta.

O SUS foi criado para ser um sistema universal, onde todos têm direito a uma medicina de qualidade. Na Inglaterra, onde funciona um dos melhores sistemas universais do mundo, cada habitante é acompanhado pela clínica no bairro onde reside. Se chega a uma Emergência pública, vem com o histórico debaixo do braço e é incorporado, absorvido sob a responsabilidade de uma equipe definida. E essa responsabilidade é intransferível. O doente não fica ao deus-dará, ora nas mãos de um, ora nas de outro. No SUS, existem poucas ilhas de excelência, onde o paciente pode encher a boca e dizer: "Meu médico é fulano". No geral, o paciente não é — literalmente — de ninguém. Há um infeliz ditado de corredor que explica o que se tornou o SUS: "Seu Último Suspiro".

Muitas vezes, a piada se tornava literal. Estava passando a visita na enfermaria quando uma enfermeira me abordou, ofegante:

Sob pressão 83

"Doutor, corre que tem uma paciente aqui que não está bem". Quando cheguei ao leito, vi uma senhora idosa, frágil, em franca insuficiência respiratória, agonizando, respirando como um peixe fora d'água, desamparada. "Mas o que foi que aconteceu com ela?", indaguei. "Não sei, ela está assim desde ontem, quando tentaram várias vezes puncionar uma veia profunda, mas não conseguiram", a enfermeira respondeu. Não havia tempo para pedir um raio X de tórax. A paciente quase não respirava. Morreria em pouco tempo. Percebi que apenas um lado do tórax se movimentava com a respiração. Coloquei o estetoscópio em seu peito. A ausculta confirmou o que eu previa. O lado onde havia se tentado puncionar a veia não ventilava; provavelmente devido a um pneumotórax ou hemotórax, passível de acontecer nesses tipos de procedimentos invasivos. A agulha perfura o pulmão ou transpassa a veia, causando lesão interna. Era inadmissível, no entanto, não encontrar um relato no prontuário ou um raio X de tórax de controle após a punção, descrevendo o insucesso das inúmeras tentativas. Isso teria impedido o agravamento do quadro com o reconhecimento precoce da situação. Minha única chance era tentar um procedimento cirúrgico ali, no meio da enfermaria.

Se a senhora estava naquele estado desde o dia anterior, isso significava o seguinte: um plantonista foi deixando o caso para o outro, porque tinha centenas de outros para resolver. E eu cheguei na hora da morte, amém. Sem chance de parar para pensar, peguei uma bandeja com material de pequena cirurgia, uma lâmina de bisturi e um dreno torácico. Abri uma incisão na lateral do tórax o suficiente para enfiar um dedo. Em dois movimentos com a tesoura, disseEquei o espaço entre as costelas, invadi o tórax e enfiei o dreno. Uma quantidade enorme de sangue jorrou para fora. Cerca de três litros encheram rapidamente o reservatório do dreno. Escorreu sangue até o chão. A doente tinha, certamente, uma lesão na veia localizada abaixo da clavícula. Quando essa veia é lesionada, o que deve ter acontecido nas diversas tentativas de puncioná-la, sangra para dentro do tórax. O sangramento leva à hipotensão, e o pneumotórax, à insuficiência respiratória. No meio da minha tentativa desesperada, a senhora faleceu.

Aquela paciente não morreu de parada respiratória. Morreu por falta de assistência adequada. Foi ficando cada vez mais cansada, mais cansada, pois o seu tórax estava se enchendo de sangue. Sangue este proveniente de um acidente na hora da punção da veia. Complicação que poderia ter sido detectada com o procedimento padrão: raio X de tórax após a punção de uma veia profunda. A cadeia de eventos não parava aí. Por que ela ficou agonizando por dois dias na enfermaria? Ninguém viu que algo estava errado? Provavelmente viu — ou não. Mas numa enfermaria pública, onde dezenas gritam por socorro, os médicos priorizam. É do jogo. O sistema endurece o médico, cria uma carcaça que o distancia mais e mais do paciente.

Num hospital de bom padrão, após um procedimento como o realizado naquela mulher, o habitual é constar no prontuário o relato cronológico das dificuldades encontradas, as medidas tomadas para evitar possíveis complicações e o filme do raio X de controle. Quando um paciente apresenta alteração nos sinais vitais, de imediato, um médico plantonista tem que ser acionado para avaliar. Em caso de maior gravidade, aciona-se a equipe de TRR — Time de Resposta Rápida, que age com precisão, prevenindo o agravamento do quadro. As perguntas que permeiam uma situação como a morte da paciente nas minhas mãos são muitas: será que precisava mesmo pegar essa veia? Qual foi a indicação? A pessoa que realizou o procedimento tinha treinamento para isso? Quem ficou responsável pelo doente? O material usado era adequado? Por que não foi feito o raio X de tórax? O equipamento estava funcionando? Os técnicos de enfermagem checaram regularmente os sinais vitais da doente? Houve vigilância?

Lembro-me exatamente do sentimento que me invadiu após a morte daquela paciente: raiva, muita raiva. Ali, diante do leito, minha pergunta final era: "Quem deixou chegar a este ponto?". O problema maior consistia em não existir um culpado para apontar. O nome do culpado era O-Sistema. E contra ele nada podia ser feito. Só me restava descrever no prontuário o ocorrido.

Em alguns dias, conseguíamos triunfar sobre as adversidades. Não sei se por influência da sorte, mérito da técnica ou pelo toque da mão divina. Numa manhã como outra qualquer, de corredores cheios, um enfermeiro muito querido no hospital entrou na sala dos médicos pedindo socorro para a sobrinha que estava internada havia alguns dias na enfermaria devido a uma facada nas costas. Fora agredida pelo namorado e o ferimento provocou uma grave infecção no tórax. As lesões por faca, ou outras armas brancas, têm mais chance de infectar do que as por arma de fogo. Segui com o enfermeiro para o leito da garota.

Pelo exame físico e raio X, concluí que provavelmente tratava-se de um hemotórax que evoluiu para um empiema pleural, com muita concentração de pus no tórax. A menina encontrava-se com extrema dificuldade de respirar. Pedi uma sala no centro cirúrgico imediatamente. Não havia disponível. Eu sabia que, se me resignasse, a paciente seria empurrada de um plantão para outro e poderia morrer. Ela precisava de uma abordagem cirúrgica urgente. Estava com mais de quarenta graus de febre, séptica, caminhando para insuficiência respiratória.

Certo de que o enfermeiro, como funcionário da casa, me entenderia sem muitas palavras, eu disse: "Consegue um material de cirurgia, um dreno de tórax e a gente faz o procedimento aqui mesmo". Um sentimento de insegurança me rondava. Pouco tempo antes, tinha feito o mesmo procedimento com a doente que morreu nas minhas mãos. Mas não havia outra alternativa. Eu precisava pelo menos tentar salvar aquela jovem.

O enfermeiro saiu desabalado e retornou com o material solicitado nas mãos. Da janela da enfermaria, a vista era ampla, com a serra de Teresópolis como moldura. Com a voz calma, embora meu coração estivesse aos saltos, pedi à garota que se concentrasse naquela vista, que olhasse o mais longe possível. A aventura começou. A palavra aventura não é apenas licença poética para se referir a um momento dramático.

Operar dentro de uma enfermaria é, infelizmente, uma atitude muito arriscada, mas necessária. Entre a cruz e a espada, temos que tomar decisões importantes. Nesse caso, para obedecer a um estrito código, eu não poderia, ou deveria, fazer uma operação naquelas circunstâncias. Mas diante da possibilidade de salvar alguém o médico deve adotar uma postura burocrática ou agir de acordo com a sua consciência?

Com a ajuda do enfermeiro, fizemos, da forma como foi possível, a assepsia, passando sabão em todo o dorso e região lateral do tórax. Isolei a área onde iria fazer a incisão com panos esterilizados. Falei para a paciente, que estava lívida: "Agora você se concentra, eu vou devagarzinho, vou te dizendo tudo o que vou fazer", e ela continuava sudoreica, em profundo sofrimento físico. Duas outras técnicas de enfermagem chegaram para ajudar. E uma estagiária apareceu para assistir. A plateia estava formada.

Após a anestesia local, enfiei uma agulha de grosso calibre nas costas da garota. Era preciso encontrar o local exato da coleção de pus. Aspirei o êmbolo da seringa — e nada. Com a enorme agulha, furei em vários lugares. A menina sentada, com os braços para cima. Quando achei a cavidade certa, aspirei a seringa e veio um pouco de pus misturado com sangue. Respirei mais aliviado. No entanto, eu teria que introduzir o dreno nas costas da doente, numa região difícil de abordar, perto de órgãos nobres, com muitos músculos no caminho. Passei o bisturi na pele, a quatro centímetros do final da escápula. Como a pleura estava espessa por conta da infecção, tive dificuldade de atravessá-la. Eu entrava com a tesoura — que não era a tesoura adequada, diga-se — e a garota urrava de dor, apesar da anestesia. Até que enfiei a tesoura inteira. "Agora vai", eu disse em voz alta. E nada. "Meu Deus do céu, não chega", resmunguei.

A operação foi ficando mais difícil do que eu imaginava. Comecei a suar frio. A paciente não estava em um centro cirúrgico, não estava sendo monitorada. Pensei com os meus botões: "Por que fui começar isto aqui? E agora?". Precisava ter ali um médico auxiliar e um anestesista. Uma estrutura que não tive tempo de providenciar. Tensão, muita tensão. Sob pressão, empurrei a tesoura na pleura com mais força, dei um tranco, a garota soltou um gemido fino e venci a barreira. Era uma carapaça grossa e dura. Enfiei o dedo no buraco. O dedo é o olho do cirurgião nessa hora. Fiz a exploração dentro do tórax tentando aumentar o orifício para colocar o dreno. À medida que mexia e rodava vigorosamente o dedo, a paciente se curvava para a frente e gritava. Certamente seria uma cena proibida para menores, caso estivéssemos num filme.

A essa altura, olhei para o lado e o enfermeiro estava lívido, branco, como quem vai desmaiar. Em tom autoritário, ordenei: "Segura aí, meu amigo. Não vai cair agora". Ao retirar meu dedo do buraco, saiu um líquido quente e fétido, uma mistura de sangue com pus que escorria pelas costas da doente. Ela começou a tossir e jatos do pus esgueiravam-se pelo orifício. Da plateia inicial, não restava ninguém. Enfiei o dreno na posição exata e jorrou tanto pus que sujou a cama inteira. A partir daquele momento, tive certeza. "Sua sobrinha vai ficar bem", comentei com o enfermeiro. No dia seguinte, a menina estava sem febre, andando pela enfermaria.

Foi uma conduta extremamente arriscada. Mas qual seria a alternativa? Não agir e deixar a paciente morrer? Esse não era o meu perfil, jamais conseguiria ter tamanho distanciamento. O sistema público coloca o médico em armadilhas como essa.

Somos obrigados a tomar decisões que costumo chamar decisões de carne e osso. Ali, à beira do leito, olhando para a expressão de sofrimento do doente, estamos expostos, contaminados pelas emoções. Qual seria a conduta mais adequada no caso da garota? Preencher um monte de papéis informando que a cirurgia não fora realizada por falta de sala no centro cirúrgico. E daí? Agindo burocraticamente, estaria me preservando e preservando o meu CRM. Mas estaria condenando aquela menina. Dificilmente um juiz desceria à profundidade das questões que me levaram a realizar aquele procedimento cirúrgico em uma enfermaria. Mas, no tribunal interno, onde todos sabiam como tocava a banda, fui alçado ao posto de herói pela enfermagem.

No cenário de carestia da saúde pública, o errado é certo. O impossível tem que ser possível. Para operar com segurança em Saracuruna, eu precisava me virar, chegando a pegar emprestado material com colegas. O Hospital de Saracuruna, referência de trauma do estado do Rio de Janeiro, dispunha de um arsenal cirúrgico lamentável.

Também se pegava médico emprestado. Muitas vezes eu ligava para um colega e implorava por auxílio voluntário em cirurgias mais complicadas, que exigiam pelo menos dois profissionais em campo. Numa ocasião, o meu chefe no Hospital do Galeão, o doutor Miraldi, despencou até Saracuruna para me ajudar a realizar uma operação bastante complicada, a retirada da pleura que reveste o pulmão. Miraldi sempre foi um médico comprometido com o doente e sensível à carência do sistema público. Como eu,

INTERNAÇÃO

Em 2011, 2% das internações no SUS foram de beneficiários de planos de saúde, o que representou 3% do valor total pago pelas internações (R$ 337.196.690,00). No âmbito do SUS, 4.870 hospitais prestam atendimento de internação (4.116 gerais, 652 especializados e 102 de curta permanência), sendo 2.185 públicos, 1.419 filantrópicos, 1.264 privados e 2 sindicais.

sempre sentiu as dores do soldado na guerra. "O doente precisa ter dono, Costa", dizia ele.

A presença de Miraldi na sala me deu segurança e calma para agir com precisão. O paciente estava internado havia muito tempo. Fora atropelado e sofreu um trauma de tórax fechado, evoluindo para um hemotórax, com sangue coagulado na cavidade torácica. O coágulo infectou e o pulmão parou de expandir. O paciente ficou no Saracuruna meses, aguardando transferência para um hospital onde pudesse ser operado. Como isso não acontecia e ele ia morrer, pedi o socorro do chefe. Numa certa manhã, simplesmente resolvi: "Vou operar este paciente, alguém há de ajudar". E o Miraldi agiu como um médico deve agir, independentemente de compensação financeira. No serviço público, tornou-se comum os médicos se ajudarem. Realizamos a cirurgia com sucesso, e o paciente recebeu alta.

Decidi criar um ambulatório para atender os pacientes de cirurgia torácica em Saracuruna. Meu objetivo era conseguir acompanhar os casos. Não me conformava com a ideia de que o paciente era da instituição. Não podia ser assim. Se eu realizava uma cirurgia, minha obrigação e desejo era acompanhar o resultado. Passei, então, a atender duas vezes por semana no pequeno ambulatório. Fiz o meu próprio livro dos doentes, onde eu anotava com capricho o passo a passo do tratamento. Guardava também as radiografias. O material acabou se tornando um acervo rico para aulas que eu era convidado a ministrar. Acompanhar a sequência de episódios desde a **internação** até a recuperação de um doente é a única maneira de saber se o seu trabalho está tendo sucesso. O que adianta operar e não saber se o paciente morreu três dias depois ou se teve uma infecção ou ainda está se recuperando? O meu ambulatório, minha tentativa de não afogar no caos, porém, morreu na praia. Fui cansando da falta de estrutura. Não era humanamente possível manter o meu sistema dentro do sistema. O abismo era intransponível. E eu ainda nem tinha visto o fundo do poço.

DE PORTA EM PORTA

EM 2005, AGREGUEI MAIS uma ocupação ao meu rol de empregos: plantões semanais de 24 horas no Samu, o Serviço de Atendimento Móvel de Urgência, então uma novidade no Rio de Janeiro, dotado de ambulâncias-UTI para atender *in loco*. O Samu foi uma escola em vários sentidos. De dentro da ambulância, enxerguei as vísceras do sistema público.

Numa certa manhã, depois de uma noite frenética, em que saímos para vários "eventos", faltando duas horas para o término do meu plantão, fomos acionados para mais um atendimento. Eu estava enjoado de cansaço, um morto-vivo no dormitório dos médicos, um quarto com dois beliches, desprovido de conforto e privacidade.

"Doutor, doutor, depressa, tem evento", disse a enfermeira. O dia estava amanhecendo lá fora, amarelo, denso, prometendo muito calor. O evento em questão era em Irajá, na zona norte. O tráfego estaria intenso naquela hora da manhã. Torcia, sem esperança, para que não avançássemos muito além do horário do término do plantão. Joguei uma água no rosto e assumi meu posto na ambulância de pneus carecas e sem ar-condicionado do

Serviço de Vida Avançado, uma UTI móvel cujo objetivo era desafogar as emergências.

Ao chegar a Irajá, entramos numa área pobre, de casas simples. Não se tratava de uma favela, como as que eu já me acostumara a subir, enfrentando as vontades dos traficantes. Passava pouco das oito da manhã quando encontramos a residência do doente. Ele estava acompanhado das três filhas e do neto. Uma das filhas veio ao meu encontro: "Papai não está bem, doutor, ajuda a gente, pelo amor de Deus", ela disse, se atropelando. Ao passar os olhos ao redor, percebi que havia ali um cuidado, um zelo com o pai. Decorado com móveis simples e enfeitado por plantas viçosas, era um lar agradável, que transmitia uma atmosfera de amor. "Vamos ter que levá-lo para o hospital", eu constatei, após rápida avaliação.

O paciente sofria de uma doença neurológica progressiva chamada miastenia gravis, um distúrbio autoimune, cujo sintoma é fadiga muscular. A pessoa não consegue nem levantar os braços para pentear o cabelo ou escovar os dentes. As pálpebras caem sobre os olhos. E pode acontecer de a crise acometer o diafragma e a musculatura intercostal, impedindo assim a respiração. Era o caso do paciente. Ele precisava ser internado numa UTI para a administração de medicações potentes para controlar a crise ou entraria em insuficiência respiratória, e encontrava-se em crise.

Foi aí que começamos a saga, o périplo, a epopeia que, infelizmente, reflete a história do doente público. Não, não havia uma central de regulação atuante para direcionar os casos, pelo menos naquela época, quando o Samu ainda não estava sob a custódia dos bombeiros. Cabia ao médico vagar no escuro em busca de vaga.

Saímos da casa do paciente com uma das filhas dentro da ambulância, e as outras duas nos seguindo no carro surrado da família. Monitorei o senhor, coloquei-o respirando com suporte de oxigênio e seguimos rumo à incerteza. Eu estava preocupado. Sabia que tinha um problema nas mãos. A coisa mais difícil era encontrar uma vaga de UTI num hospital público. O que fazer? Consultei a enfermeira que me acompanhava. Ela era uma mulher sensível e experiente. "Para onde?", eu perguntei, meio cochichando, para não assustar a filha. Chegamos a uma decisão: Hospital Geral de Bonsucesso.

Era um hospital federal de grande porte, dotado de serviço de neurologia, e ficava na avenida Brasil, não muito longe de Irajá. Teoricamente seria a melhor opção. Fomos recebidos a pedradas. Por pouco, literalmente. O chefe do plantão nos expulsou aos berros: "Aqui, não. Ambulância do Samu não. Não posso acolher ninguém". Eu tentei argumentar. Mas os corredores estavam tão abarrotados, o clima era tão desesperador, que desisti. Tive tanta pena do meu colega quanto de mim. Estávamos os dois navegando no mesmo mar turvo.

Em conluio com a enfermeira, tomei uma nova decisão: Souza Aguiar. O caos na Emergência do Souza Aguiar era notório, mas por já ter trabalhado lá eu tinha esperanças de encontrar ajuda. O trajeto de Bonsucesso até o centro do Rio de Janeiro foi tenso. Eu estava decidido a conseguir aquela vaga, nem que para isso tivesse que implorar. Ao chegar, fui direto falar com o chefe do plantão. Ele olhou bem nos meus olhos, sorriu amarelo, e disse, sem medir o linguajar: "Meu irmão, você só pode estar de sacanagem. Vaga aqui só se o sujeito estivesse sangrando muito". Respondi: "O paciente está mal, pode evoluir para uma insuficiência respiratória a qualquer momento. É um quadro neurológico grave". O chefe do plantão encerrou o assunto: "Olha à sua volta: esfaqueado, baleado, acidentado, o quadro de todos é grave. Se você conseguir uma vaga em outro hospital, me avisa que eu vou mandar uns doentes para lá".

Lembrei-me dos meus tempos de residente no Souza Aguiar e a minha impressão foi de que acontecera o impossível: o atendimento havia piorado. Enquanto caminhava para o estacionamento,

LEITOS

Em 2010, o Brasil possuía 2,63 leitos hospitalares por mil habitantes, o oitavo menor quantitativo entre quarenta países cujos dados foram analisados pela OCDE. Os estados que apresentaram o maior número de leitos por mil habitantes foram Rio de Janeiro (3,31), Rio Grande do Sul (3,05) e Distrito Federal (2,92). Já as unidades federadas que contavam com as menores quantidades de leitos eram Amazonas (1,64), Amapá (1,67) e Sergipe (1,85).

onde um homem em agonia respiratória me aguardava ao lado das filhas em desespero, eu me senti derrotado. Até a minha postura física demonstrava o meu estado de espírito. Minha cabeça pendia, meus olhos grudados no chão.

Não tinha coragem de dizer àquela família que a situação chegara a um ponto perigoso. Já passava das duas da tarde. O nível do oxigênio no cilindro da ambulância estava muito baixo. Em pouco tempo, não teria mais como manter aquele homem respirando. Tentei em vão, do meu celular, encontrar colegas de plantão em alguma Emergência, alguém para nos salvar. O acesso à assistência de terapia intensiva na saúde pública de alta complexidade era — e é, até hoje — uma barreira quase intransponível.

Próxima parada: Hospital de Saracuruna. Arrancamos com a sirene ligada, do centro da cidade para a Baixada Fluminense, um trajeto de pelos menos uma hora. No interior da ambulância, silêncio, como se a estridência da sirene falasse por todos. O Saracuruna era, eu sabia bem, uma aposta improvável. O hospital sofria com a dificuldade de gerenciamento de **leitos**. Pacientes morriam todos os dias na fila de espera por uma vaga de CTI.

96 *Marcio Maranhão*

O chefe do plantão do Saracuruna me recebeu com um gordo NÃO, nem quis ouvir a argumentação. A essa altura, eu oscilava entre tentar manter a calma ou explodir. A situação rompia a lógica. Parecia uma cena de ficção: percorrendo a cidade com um homem agonizante na ambulância, a sirene enlouquecendo, sob um calor de quarenta graus, sem ar condicionado, para simplesmente não conseguir uma vaga de CTI e assistir ao homem morrer.

Já sem forças, anunciei: "Vamos tentar o Miguel Couto". Mais uma vez, o silêncio, a sirene, a avenida Brasil, agora rumo à Gávea, na zona sul. Pelo menos uma hora e meia de trânsito pesado. Na Washington Luiz, nós nos deparamos com um acidente. Um carro havia atropelado um cavalo. Fomos parados por transeuntes. Para evitar qualquer gesto revoltoso, expliquei para os populares que estávamos com uma transferência em curso e que não poderíamos permanecer no local. Por sorte, o acidente não tinha sido grave. Diante do sangue do animal, percebi: eu estava enlouquecendo. Pensei em pegar o sangue do cavalo, lambuzar o meu paciente e adentrar o Miguel Couto já gritando: Emergência! Sangue sempre ajudava a abrir portas.

Em 2013, o Brasil possuía, em média, 2,51 leitos por mil habitantes, enquanto o mesmo índice comparativo dos países-membros da OCDE era de 4,8 leitos e a dos países-membros da União Europeia atingia 5,3. A quantidade de leitos disponíveis no Brasil estava próximo ao da Turquia (2,5 leitos para cada mil pessoas). Entre 2010 e 2013, houve uma redução de 11.576 leitos no sistema público.

Uma outra ideia, essa mais plausível, me tomou de assalto. Lembrei-me de que minha mulher tinha amigos no Miguel Couto. Telefonei para Lenita e pedi que tentasse o único caminho que infelizmente funciona, o do quem indica. Nesse momento, fui consolado pela filha do paciente. Ela disse, colocando a mão no meu ombro: "Calma, doutor, o senhor está fazendo o que pode". Já era noite, todos estávamos famintos, cansados e desorientados. Em pouco tempo, eu completaria 36 horas de plantão.

Ao chegar ao Miguel Couto, fui recebido pelo amigo de Lenita, que estava ali chefiando o plantão daquele dia. Ele foi honesto. Não tinha vaga, não poderia absorver um paciente neurológico, mas iria me ajudar. Ou seja: faria um favor pessoal. Foi o primeiro vento de solidariedade do dia. O médico, então, ligou para um conhecido no hospital Lourenço Jorge, na Barra da Tijuca. E, enfim, conseguimos a vaga. Não era uma vaga de UTI, mas de semi-intensiva. Pelo menos o doente ficaria monitorado e teria um ventilador pulmonar à disposição.

Se a cena tivesse sido filmada, poderia encerrar um documentário sobre o sistema público de saúde do Brasil: o médico saindo correndo do Miguel Couto, dando socos no ar, comemorando a conquista de uma vaga a que, pela lei, pela Constituição brasileira, o paciente tinha pleno direito. Da Gávea à Barra da Tijuca foi mais uma hora dentro da ambulância, com a sirene gritando. Meus nervos estavam em frangalhos. A única coisa boa era que eu havia me lembrado de pegar um cilindro de oxigênio emprestado no Miguel Couto e não precisava mais sofrer vendo o ponteiro abaixar.

Ao todo, percorremos naquele dia 250 quilômetros. Já passava das nove da noite quando conseguimos, enfim, encaminhar o paciente para a unidade semi-intensiva. Como uma família, eu, as filhas, a enfermeira e o motorista comemos um cachorro-quente no trailer estacionado na porta do Lourenço Jorge.

98 Marcio Maranhão

Trabalhar no Samu foi uma decisão, a princípio, financeira. Estava precisando de dinheiro. Com quatro filhos para criar, eu e Lenita enfrentávamos a labuta de construir a nossa casa. Combinamos que os plantões seriam por apenas seis meses, até que conseguíssemos desafogar o orçamento. Com o passar dos domingos, porém, o Samu foi ganhando espaço na minha vida — até que se tornou um trabalho do qual eu não queria, ou conseguia, me livrar.

O VÍCIO

A IDEIA DO SAMU sempre me atraiu. O modelo foi importado da França, onde se consolidou um dos melhores sistemas universais de saúde do mundo. Surgiu nos anos 1980, para reduzir óbitos e sequelas no atendimento pré-hospitalar e também para diminuir a procura pelas emergências dos hospitais. Pacientes de baixa complexidade poderiam ter suas queixas resolvidas no local. No Brasil, o primeiro Samu foi criado em Ribeirão Preto, em 1996. O modelo de atuação francês, dotado de médico e enfermeiro na ambulância, previa maior tempo na cena, com alta resolutividade. Já o modelo americano, dotado apenas de paramédicos, previa um atendimento rápido, de baixa resolutividade, sendo o diagnóstico e os cuidados definitivos realizados no hospital. Nosso modelo mistura os dois: ambulâncias com médicos e ambulâncias só com enfermeiros.

A possibilidade de ganhar as ruas me fascinou logo nos primeiros plantões: praticar a medicina *in loco*, conhecer a doença do ponto de vista social, entrar na casa das pessoas que eu via nos corredores dos hospitais. O fato de ser uma atividade dinâmica, que me colocava em lugares jamais imaginados, só fazia crescer o meu interesse. Acabei ficando no Samu por quase dois anos.

O salário era de R$ 500,00 por plantão de 24 horas, o que, na verdade, contribuía pouco para o orçamento da família. Meu casamento quase sofreu um abalo. Minha mulher não entendia por que eu continuava. E eu continuava. Posso dizer que me tornei, de fato, viciado na adrenalina da vida dentro de uma ambulância do Samu.

A central de chamados, o cérebro do Samu, ficava na Ilha do Governador, bem perto do Hospital do Galeão. Dividia o terreno com uma escola pública e uma academia de artes marciais. Havia a sala dos controladores, moderna, repartida em baias, onde eram atendidas as chamadas telefônicas e feita a triagem. Médicos, enfermeiros e motoristas quedavam-se nos alojamentos, com beliches e banheiro comunitário — um banheiro realmente coletivo, diga-se, onde era impossível tomar um banho decente. Os chuveiros elétricos gotejavam e o espaço era mínimo. Nos alojamentos, cama com cama, impondo uma intimidade que você não queria ter com pessoas que pouco conhecia. O refeitório conseguia ser o pior lugar, com um cheiro nauseante de quentinhas amontoadas em um grande isopor. Eu costumava sair vagando pela Ilha do Governador com o meu macacão do Samu em busca de um queijo quente.

No começo, a estrutura precária não fazia diferença. Eu estava vivendo uma aventura: sair de madrugada por uma cidade totalmente desconhecida para mim, pegar a avenida Brasil deserta, cheirando a mistério e perigo. Subir favelas. Entrar nos territórios onde nenhum braço do poder público entrava. Só o Samu subia favelas naquele tempo. Eu não sabia que aquele mundo existia.

A pergunta que sempre me ocorria dentro da ambulância era: "O que é que eu estou fazendo aqui, a esta hora da madrugada, numa cidade que eu não conheço?". Tão próxima e tão distante. O Rio segregado me enchia de surpresa, era como descobrir um pedaço de mim, da minha terra, do lugar em que eu nasci. Tinha acabado de ler o livro do Zuenir Ventura, *Cidade partida*. A sensação era exatamente essa, a de cruzar a fronteira de uma cidade partida.

Zuenir escreveu: "Nessa terra em que as fronteiras são sempre tênues, imperceptíveis para quem vê com os olhos de cá, os contrários convivem: a alegria e o pranto, a miséria e o prazer, a violência e a solidariedade, a fé e o crime, o tráfico e a vida honesta, a glória efêmera e a resistência muda, o medo, a crueldade e o terror — um cotidiano feito de sofrimento, mas também de uma esperança que às vezes parece inútil".

De repente, no meio da noite, o rádio anunciava: "Evento de prioridade máxima, seguir para a comunidade tal". A sirene era ligada e saíamos em disparada. Eu podia sentir a vibração dentro da ambulância. Embora em cada plantão eu trabalhasse com uma equipe diferente, o time se formava por 24 horas apenas, como um encontro amoroso intenso. Não podia ser diferente. As situações exigiam trabalho de equipe.

O Suporte de Vida Avançado é uma UTI móvel, com estrutura para atuar com relativo conforto. No caminho para o "evento", nós sempre nos fazíamos a mesma pergunta: qual a surpresa que iríamos encontrar? Nunca era igual, nunca era previsível. Às vezes, entrávamos em locais tão sinistros que você olhava em volta e pensava "o diabo mora aqui". O choque de realidade talvez fosse o mais visceral, o mais transformador.

Meu primeiro "evento" foi na favela Fazenda Fazendinha, zona norte da cidade. Naquela noite, ainda não tínhamos recebido nenhum chamado. Eu estava dormindo um sono profundo quando a enfermeira me cutucou: "Prioridade máxima na Fazenda Fazendinha, uma criança, vamos rápido". Levantei enjoado. Lembro-me do que me veio à cabeça: "Não vou aguentar isto aqui um mês". Era muita falta de sorte. Sempre fugi de crianças.

Nunca quis tratar crianças. Tinha pavor de errar com elas. Criança, para mim, só para brincar.

Ao ganharmos a avenida Brasil, senti medo daquele Rio de Janeiro. E, ao mesmo tempo, me senti seguro dentro da ambulância do Samu, com um estetoscópio no pescoço. O aparelho médico era um escudo, um atestado do bem. Cruzamos dois bondes de traficantes. Nunca tinha visto um bonde de traficantes ao vivo, tão perto, passando na minha janela. Carros com fuzis à mostra, homens rudes.

Quando chegamos à comunidade, o pai nos esperava aflito. Foi nos conduzindo por um acesso difícil, tortuoso, escuro, deserto. Eu só conseguia pensar no meu filho Caio, de três anos, dormindo um sono seguro na nossa casa confortável. Na ocorrência, vi que a criança tinha a mesma idade dele e, como Caio, sofria de asma.

Logo percebi que o pai era um homem trabalhador. Morava sozinho no casebre com mais dois filhos. Não havia mulher ali. Eu entendi na alma o desespero daquele pai diante do filho em agonia respiratória. O menino estava sentadinho, sem conseguir respirar. Não falava. Só olhava com os olhos tristes, desesperados, pedindo ajuda. As asas das narinas se mexiam no ritmo típico de insuficiência respiratória. Sem pensar muito, agi, agi como agiria com o meu filho.

Sentei-me atrás do menino e o levantei um pouquinho do sofá, colocando-o no meu colo e o deixando suspenso, para aliviar a pressão nos músculos intercostais. Grudei um nebulizador no nariz dele. E mandei o enfermeiro aplicar rapidamente um corticoide na veia para neutralizar a crise. O pai desesperado andava em círculos dentro da casa, como um leão na jaula. Aos poucos, o menino foi recuperando o fôlego.

Após quinze intermináveis minutos, ele foi se acalmando nos meus braços e voltou a respirar. Eu tinha salvado ali, naquela casa humilde, com um procedimento simples, a vida de uma criança.

Vi nos olhos do pai a gratidão. Só pensava: "Meu Deus, ainda bem que sou médico, ainda bem que estou no Samu". Tenho certeza de que eu jamais experimentaria tal sensação atendendo num consultório, perto da minha casa, tratando de pacientes com melhor situação financeira. Eu estava na casa do garoto. O contexto fazia toda a diferença. Enxerguei com os meus olhos como aquele pai e aquele filho precisavam de mim. Eles não teriam outra alternativa. Soube pelo pai que a comunidade estava em guerra, que a polícia havia entrado várias vezes, que não houve jeito de sair da favela. A crise havia começado cedo. E foi se agravando com o passar do dia. Antes de sair da casa, ganhei um abraço tão sincero do pai que fui às lágrimas. Toda a equipe se emocionou. Descemos a Fazenda Fazendinha em silêncio.

Ir às lágrimas depois de um atendimento era ao mesmo tempo desconcertante e arrebatador. Quando relatava histórias do Samu para colegas, ficava constrangido. Fora do contexto, o relato parecia não ter a mesma força, e me sentia suscetível demais às emoções. Passei a colecionar tais histórias para mim, como um tesouro íntimo.

O Samu também me proporcionava a experiência de outra medicina, muito diferente daquela ensinada nas salas de aula da faculdade. O raciocínio clínico linear moldado por professores cedia lugar para uma tomada de decisão de carne e osso, na qual a percepção imediata de uma condição física determinava tudo. Reconhecer padrões de doenças de forma segura, ter a consciência de seus recursos e decidir, rapidamente, qual a melhor atitude a tomar caracterizam um bom médico emergencista. Para isso, é preciso vivência, são necessárias horas passadas na rotina de guerra. O Samu me dava, de forma generosa, essa vivência.

Os quase dois anos no Samu seguiram assim: plantões de 24 horas aos domingos. Na segunda, eu ia trabalhar no Hospital do Galeão sem dormir, virado, dominado sempre por um cansaço profundo. Dizia: "não volto mais". No meio da semana, começava a me recuperar. E então pensava: "Vou fazer mais um plantão". Estava realmente viciado na adrenalina, na emoção que cada plantão me proporcionava. Lenita não se conformava. Era perigoso, ela não queria. Eu sofria com a divisão interna, entre a família e o trabalho.

A vida pessoal de um médico do sistema público é o reflexo do caos desse mesmo sistema. Sempre procurei incluir meus filhos no meu dia a dia para que entendessem o que eu estava fazendo, por que estava ausente. Uma vez, levei os quatro para visitar "a ambulância do papai". Eles ficaram malucos de alegria com a aventura. Talvez esse fosse o meu maior desafio: proporcionar aos meus filhos a segurança do meu amor por eles.

Nessa época, eu e Lenita partimos para a terapia de casal. Era preciso nos reaproximar, estávamos brigando a distância. Meu cansaço era tamanho que um dia dormi enquanto uma paciente me relatava o seu caso. Acho que nunca me senti tão envergonhado. A senhora simples, sábia, com a mão sobre o meu ombro, disse: "Meu filho, vai pra casa, você só precisa descansar".

A rotina no Samu era povoada por personagens pitorescos. O chefe da regulação, um médico fanfarrão, barrigudo, fumante inveterado, agia como um burocrata que precisava agradar a Secretaria de Saúde. Seu cargo era de confiança, por indicação e não por mérito. Só se preocupava com números, produtividade, em livrar a própria cara.

Tinha por volta de cinquenta anos e andava pelos corredores cobrando horário. Sua fixação era o horário dos funcionários, em vez de se preocupar com a escassez de material, as ambulâncias paradas nas oficinais e a falta de combustível para elas rodarem.

Carros novos, recém-adquiridos, que podiam estar nas ruas salvando gente, ficavam inoperantes por dias a fio.

A convivência no Samu parecia uma ficção dentro de uma repartição pública, com todos os clichês. Além do chefe incompetente e fumante, havia a peça feminina da trama, uma médica que dava um jeito de estar *sexy* dentro do pavoroso macacão do Samu. Ela deixava os botões abertos até a altura dos seios fartos. Estava sempre coberta de bijuterias, realçadas pelos longos cabelos pintados de louro. E, como não poderia deixar de ser, "dava mole" para o chefe. Desculpem a expressão chula, mas não há outra para descrever a cena. O chefe a tratava com todas as regalias e deferências. Para ela, os "eventos" mais fáceis. Para mim, o resto. A médica era a minha parceira de plantão.

Os motoristas e as enfermeiras eram trabalhadores, gente que se virava dando plantões em todos os lugares. Alguns motoristas eram bombeiros que, na folga, complementavam a renda trabalhando no Samu. A maioria deles sabia como entrar nos lugares de risco sem nos colocar em risco. Outros tinham medo e se recusavam a subir os morros, o que nos obrigava a escalar as ladeiras carregando os equipamentos nas costas.

Lembro de uma madrugada em que o motorista bateu o pé: não subiria a favela do Dendê, na Ilha do Governador, uma das comunidades mais violentas do Rio. O clima estava realmente tenso. Liguei para a Central e pedi que orientasse a família para nos encontrar ao pé do morro. Um dos filhos do paciente apareceu e nos ameaçou: "Ou vocês sobem ou vou avisar aos parceiros, pode escolher". Temendo o pior, cedemos. Subimos o morro em guerra, mas seguros porque o rapaz, que certamente pertencia ao tráfico, estava dentro do carro nos orientando.

Episódios corriqueiros da nossa rotina no Samu explicitam a tragédia da saúde pública no Brasil. O caso das macas era o retrato do descaso. Muitas vezes, chegávamos a um hospital com um doente e não havia maca disponível. A espera podia durar o dia inteiro, era imprevisível. Numa tarde de muito caos no Souza Aguiar, descobrimos um truque, que passamos a usar com frequência. Eu ficava no corredor com o doente e enviava o motorista em missão especial ao necrotério, no anexo do hospital. Ele esperava o carro da funerária chegar, para buscar um corpo, e imediatamente capturava a maca que ficava livre.

Por ironia, naquela mesma época prestei atendimento a um defunto. Aconteceu na favela Parque União, comunidade da Maré. O lugar estava em guerra, num dos momentos mais violentos de sua história, no ano de 2005. Segundo nos foi relatado pela central de chamados, tratava-se de um morador que caiu de um telhado, eletrocutado por um fio de alta tensão. Ao chegar ao Parque União, fomos abordados por uma massa em comoção. O senhor era querido por todos, tio do chefe do tráfico. A cena: um corpo carbonizado no chão, aparentemente já morto, rodeado por mulheres histéricas e traficantes armados. Uma moça gritava: "Meu pai não pode morrer. Não pode". Um traficante me abordou: "Doc, qual é? Não vai fazer nada? Tá de caô?".

Após auscultar o coração do paciente, foi o meu coração que apertou. O homem certamente já teria caído morto do telhado, com o choque violento. Nada podia ser feito. Mas o clima à minha volta era de catarse. Jovens irracionais com armas em punho.

Gritei para o motorista, me fingindo apressado: "Pega a maca". Enquanto isso, outra encenação. Peguei o pulso, olhei a mucosa do olho, auscultei novamente o coração. E anunciei: "Vamos remover". Levamos o corpo até a ambulância e, com as mãos trêmulas, introduzi o tubo na traqueia, procedimento indicado caso ele estivesse vivo. Precisava que os traficantes vissem que eu estava agindo, para que me deixassem sair da favela. O motorista ligou a ambulância, a sirene... E zarpamos em disparada.

Como relatar aquele caso? Como chegar ao hospital com um corpo carbonizado com um tubo na traqueia? Entubar um cadáver não está previsto no nosso código de condutas. Mas eu havia adotado o procedimento para salvar nossa pele. No hospital, procurei um colega conhecido. E contei a história. Meu colega topou me ajudar. Para dar uma satisfação à família e não colocar a equipe em risco, relatei que o homem morreu de parada cardíaca ao dar entrada no hospital. Após esse episódio, decidi não voltar para o Samu. Mas voltei, no plantão seguinte.

Foi um tempo em que circulei pela cidade com a casa dentro do carro: lençóis, travesseiro, toalha. Eu dava plantão em três lugares diferentes. Havia semanas que emendava plantão no Hospital do Galeão com plantão no Balbino, depois de ter passado o domingo no Samu. Minha regra eram catorze a quinze plantões por mês, além da rotina no Saracuruna. A classe médica se acostuma a trabalhar dessa forma.

Vários colegas faziam isso e parecia normal. Olhando hoje, sob outra perspectiva, vejo que era o oposto do normal. O limite do médico não é respeitado pelo sistema de saúde, que não cuida de quem cuida. Como a saúde não é valorizada, o médico passa a ter menor valor também. Assim como o paciente não é de ninguém, o médico também não é.

Lusco-fusco

O DOMINGO NA CENTRAL de chamados do Samu transcorria calmo, sem pressa. Eu descansava no quarto reservado aos médicos. De repente, fui sacudido por um burburinho. A polícia estava ali, com um mandado de prisão para uma médica que trabalhava na triagem dos pacientes. Fiquei aturdido. Aquela era talvez a médica mais eficiente do Samu, tinha discernimento e compromisso com a profissão. O oficial de justiça informou que o mandado foi acionado porque ela não cumpriu a ordem de um juiz. Um familiar entrara com um processo exigindo uma vaga de UTI no sistema público para um paciente que se encontrava grave havia 48 horas no posto de saúde. O juiz ordenou que a vaga fosse providenciada. A médica, por sua vez, não conseguiu encontrar um leito para a assistência de alta complexidade, o que não era surpresa para ninguém — pelo jeito, só para o juiz.

A situação seguiu em ritmo tragicômico. Nós, os funcionários, indignados, pois sabíamos que ninguém podia ser responsabilizado. O sistema já punia a todos. Até mesmo os policiais demonstravam constrangimento. O impasse consumiu um longo tempo, até que a nossa colega saiu do trabalho para a delegacia.

O grotesco episódio encontra explicação numa questão polêmica: a judicialização da saúde. A população entendeu que a saúde é um direito garantido pela Constituição brasileira. Para garantir esse direito universal, recorre à justiça. Os juízes, por sua vez, agem seguindo ao pé da letra o que diz a lei. Só que o sistema público não consegue atender à demanda e quem responde pelo crime de negar o direito constitucional à saúde é o médico. Em 2012, a média de liminares em favor de pacientes chegou a cem por mês. Ao mesmo tempo, a espera por leitos de terapia intensiva no Rio matava um paciente a cada quatro horas, de acordo com dados do Ministério Público Estadual. Qual o poder de uma ordem judicial diante desse quadro de falta de vagas?

O drama diário do médico é bem mais complexo do que o pragmatismo da Justiça determina. O juiz olha para um papel, consulta a lei e dá o seu veredicto. O médico tem milhares de vidas nas mãos para encaixar em poucos leitos de terapia intensiva. Ele precisa priorizar para minimizar a tragédia. Em 2010, 776 pessoas morreram à espera de um leito de UTI no Rio de Janeiro.

O embate coloca o juiz no papel de mocinho, e o médico no papel de vilão. A imprensa estampa manchetes sensacionalistas, acusando o médico de se recusar a prestar assistência. Com isso, um laço precioso vem se rompendo: a confiança da sociedade na classe médica. Sim, alguns profissionais da saúde têm comportamento nocivo. Mas a propaganda negativa do médico não ajuda em nada, não é construtiva.

A janela da ambulância do Samu descortinou para mim o caos na sua amplitude nefasta. Pude observar como tudo, absolutamente tudo, estava errado, falhava. Não existia sabedoria política regendo as várias pontas do que chamamos saúde pública. Não havia uma retaguarda organizada.

A população não passou a recorrer à Justiça à toa. Só que o Estado empurrou a culpa para o médico. Num esforço desesperado

112 *Marcio Maranhão*

de ocultar a inoperância, decidiu cinicamente transformar os profissionais de saúde em escudos de um sistema falido, que emperrou por falta de políticas públicas eficientes e integradas. Os médicos também são vítimas. A pergunta que deveria ser discutida é: "qual é o sistema de saúde que queremos ter?". Optou-se por um sistema misto, onde o SUS teoricamente seria para todos, privilegiando os mais pobres, e os planos de saúde para quem pode pagar. Na prática, funciona assim? Quem tem plano de saúde está satisfeito? Quem depende do SUS consegue atendimento? Onde está a medicina pública de qualidade?

O trabalho na ambulândia era, em todas as suas nuances, profissão perigo. Como sempre, fomos recebidos na entrada da favela pelo familiar que acionou o atendimento de urgência. O anfitrião só nos disse que o sobrinho havia caído de uma laje. Ele foi nos conduzindo morro acima. Tudo estava quieto. Num beco como todos os outros becos, eu me deparei com um garoto de dezessete anos, magro, negro, caído no chão com uma poça de sangue ao redor de sua cabeça. O menino tinha uma metralhadora presa ao corpo e do nariz transbordava cocaína. Deduzi que era olheiro do tráfico e havia sofrido, digamos, um acidente de trabalho.

Rapidamente mandei buscar a maca na ambulância para remover o rapaz. Ele apresentava um traumatismo craniano grave. Já dentro da ambulância, entubei o paciente. Ele não reagiu. Não estava respondendo a nenhum estímulo. Perdera os reflexos cerebrais mais primitivos. Decidimos levá-lo para o Souza Aguiar. Quando cheguei ao hospital, o chefe do plantão, atolado no seu proverbial mar de desgraças, me disse: "Deixa ali que depois eu vejo".

Coloquei o garoto sobre uma maca na sala de trauma, acoplado a um respirador Bird Mark 7, o pior de todos em termos de qualidade, mas o único disponível. Mais de doze horas depois, precisei retornar ao Souza Aguiar com outro paciente. O rapaz estava lá, no mesmo lugar. Milagrosamente vivo. Os ajustes dos parâmetros do respirador eram os mesmos que eu havia colocado, provavelmente ninguém o havia avaliado. SUS é loteria. Alguns são escolhidos para viver e outros, para morrer. Não sei o que aconteceu ao rapaz. Não mais o vi. Pergunto: o que adiantou o socorro do Samu? Para funcionar, a saúde tem que estar integrada.

Lá estávamos nós, rondando as madrugadas, cercados por um Rio de Janeiro agressivo, abandonado, repartido. O Samu possuía várias bases espalhadas pela cidade. A minha base, praticamente só atendia zona norte, Ilha do Governador e Baixada Fluminense. Foi um tempo em que o Rio vivia sob saraivadas de balas, meados dos anos 2000.

Os tiroteios — e as balas perdidas — faziam parte da rotina. Eu me sentia seguro dentro da ambulância. A população nos acolhia e nos protegia. Só que não estávamos livres do imprevisível. Numa noite ouvimos, pelo rádio, uma notícia desestabilizadora. Segundo a conversa que acompanhávamos, uma ambulância do Samu tinha sido alvejada por traficantes na mesma avenida Brasil. Os bandidos a confundiram com um carro de polícia. O motorista circulava com as luzes de emergência do teto ligadas quando passou próximo à entrada de uma comunidade. A partir daí, eu me mantinha alerta. "Desliga essa luz", ordenava ao motorista sempre que estávamos a caminho de algum evento.

Os pesares não me impediam de voltar. Cada dia, eu me apaixonava mais pela medicina que podia praticar no Samu. Era uma atividade essencialmente humana, pilar principal de minha profissão. Ir ao encontro daquela população abandonada, que está do lado da nossa casa, mas a gente simplesmente não a enxerga.

A minha experiência na ambulância do Samu influenciou a minha formação. Tornei-me um médico mais humano. Tornei-me,

114 Marcio Maranhão

na verdade, obcecado por tentar sempre, em qualquer circunstância, humanizar o mais possível a minha relação com os pacientes.

Hoje em dia, tudo conspira para que o médico aja dentro de um padrão mecânico. Tanto no sistema público quanto no privado, ganha-se mal, muito mal. É preciso trabalhar muito para compensar. O médico corre de um emprego para o outro. E, para responder à pressa, resume sua investigação diagnóstica solicitando uma série de exames complementares. Perde a chance de estabelecer uma relação médico-paciente de confiança. Não tocamos mais no doente. Não fazemos uma anamnese detalhada. Não estabelecemos contatos mais profundos com a família. Muitas vezes, fugimos dela. Em suma: os rituais tão caros à medicina ficam cada vez mais esquecidos. No Samu, não. No Samu, eu estava dentro da casa do paciente. Isso mudava tudo.

Numa tarde de verão carioca, sufocante, molhado, desanimador, fomos a uma favela na Ilha do Governador atender o chamado de uma criança. Um garoto ligou dizendo que precisava de ajuda, que a avó estava passando mal. Chegando lá, deparamo-nos com uma situação de profundo abandono. Tratava-se de uma senhora obesa, hipertensa, com as pernas muito inchadas, que morava no terceiro pavimento de uma construção improvisada. Para subir a escada, era preciso andar de lado, com cuidado para não despencar nos degraus em decomposição. Quando atingi o último degrau, bati a cabeça tão fortemente em uma viga de concreto que fiquei tonto.

A paciente estava acompanhada de várias crianças pequenas, que brincavam no chão. Os pais saíam para trabalhar e depositavam os filhos ali, para aquela mulher tomar conta. A dedução era óbvia: ela nunca saía de casa. Não tinha condição física para descer a escada. Encontrava-se em angústia respiratória, sem fala, pressão muito alta. O diagnóstico foi rápido: edema agudo de pulmão. Tentei intervir *in loco*: diurético na veia, morfina, remédio para hipertensão, suporte de oxigênio. A crise não cedeu. Como remover? A encrenca era grande.

A minha primeira preocupação era identificar alguém que pudesse ficar responsável por aquelas crianças. Enviei o motorista em missão: achar um vizinho para cuidar dos meninos. Logo conseguimos uma boa alma disposta a ajudar. A vida em comunidade tem essa benesse: solidariedade. Remover a mulher era o nosso segundo problema.

Não dava para colocá-la numa maca e descer a escada. Não havia espaço. Não adiantaria subir prancha, cadeira de rodas, nada. Minha conclusão foi: a doente vai ter que descer andando. Era a sua única chance. Apresentara melhora com os medicamentos. Sentei-me ao lado dela e comecei o que costumo chamar "papoterapia": "Temos que levar a senhora para um hospital. Não se preocupe com as crianças. Elas estão protegidas. Desce bem devagarinho, ok?". A doente me ouviu com olhos atentos.

Nós, a equipe do Samu e alguns vizinhos, nos postamos ao pé da escada, numa atitude de apoio moral. A mulher era obesa e a escada, muito estreita. Eu me lembro de prender a respiração, em suspense. Providenciei para que tudo estivesse preparado: motor da ambulância ligado, respirador, medicamentos, material para entubar. Ela desceu degrau por degrau. E a cada um demonstrava sintomas de profunda fadiga. Olhava para nós como quem diz "não vou conseguir". E nós, em coro: "Vem, a senhora consegue, estamos aqui". De onde eu me encontrava, podia perceber a paciente cada vez mais cianótica, com extremidades e os lábios roxos. Quando, enfim, pisou no último degrau, nós a colocamos rapidamente na ambulância. Estava tão cansada que eu a entubei sem que reagisse. Normalmente é preciso sedar. Uma sensação de vitória me invadiu quando a internei no hospital com vida. Não sei o que aconteceu a ela, se recebeu o tratamento devido. Nós conseguimos fazer a nossa parte.

A medicina no Samu assemelha-se à praticada pela organização dos Médicos Sem Fronteiras. Medicina social, no limite. Você tem que atuar nas condições que se apresentam. O Samu me deixava tenso, ansioso. Mesmo na base, não relaxava. A qualquer minuto podia surgir um evento de prioridade máxima. Eu era obrigado a tomar decisões no fio da navalha. Desenvolvi involuntariamente o que chamamos consciência situacional. Ao mesmo tempo, avaliava a localidade, a condição clínica do paciente, os riscos e tomava decisões ágeis. Procurava avaliar também o meu nível de tensão emocional, minhas motivações e quanto aquilo influenciava minhas ações. Com o tempo, criei alguns atalhos no raciocínio clínico. Aprendi muito mais com meus erros do que com os acertos.

Ao final de quase dois anos, porém, atingi a minha cota-limite. Foi como ter uma overdose de dramas: vitórias, derrotas, frustração, emoção. A verdade é que os plantões no Samu exigiam mais do que eu podia dar. Quando chegava o domingo, dia do meu plantão, eu estava já exaurido da semana trabalhando em três hospitais diferentes. Na noite de sábado, sempre dormia muito mal, na expectativa do que seriam as minhas próximas 24 horas. Era acometido por uma insegurança profunda: "Será que estou preparado para o porvir?".

Aqueles plantões me testavam semanalmente. Testavam inclusive o meu compromisso com o que eu me propunha, o meu compromisso com a medicina. As vitórias parciais nos atendimentos no *front* pareciam sucumbir sempre à inépcia do sistema de retaguarda. A ineficiência assassina do sistema público de saúde estava derrubando mais um soldado. Eu queria parar. Precisava parar.

Demorei a me decidir pela despedida. Quando eu ia para o campo, intervinha, fazia diferença na vida de alguém, o desgaste parecia compensado. Mas chegou o dia em que eu simplesmente não aguentei mais. Se eu tivesse tido as condições mínimas de trabalho, talvez tivesse continuado para sempre. Mas não era mais possível equilibrar tantos pratos girando ao mesmo tempo, conviver com dramas insolúveis, além de terminar o plantão no Samu apavorado com a ideia de ter que ir direto para outro hospital e entrar numa sala de cirurgia sem dormir.

No meu último plantão, quando a ambulância adentrava a Ilha do Governador, chorei ao ver o sol nascer na baía da Guanabara. Havia muito não via um nascer do sol como aquele, naquele horizonte. O Samu me proporcionou um belo amanhecer. Valeu a pena cada plantão. O Samu me colocou nos lugares onde precisei ir para entender o que eu precisava entender: estava tudo errado.

Onde eu assino

A operação que abriu os meus olhos aconteceu numa manhã de primavera. Já estávamos na sala de cirurgia do hospital de Saracuruna havia mais de cinco horas. Quando fui fechar o paciente, após a intervenção na coluna pelo neurocirurgião, percebi um sangramento anormal no ápice do tórax, um lugar de difícil visualização. A luz do foco que tínhamos era fraca — e fazia sombra sobre a região que eu precisava ver. A sala contava com dois focos cirúrgicos, sendo que um não estava funcionando. E o foco auxiliar nada auxiliava. Somando essa e outras dificuldades, um incidente cirúrgico que poderia ter sido de fácil solução em condições ideais ganhou dimensões apavorantes, quase fatais.

O paciente sangrava mais e mais e eu precisava agir. A pinça de que eu dispunha não era comprida o suficiente para chegar à região onde sangrava. Senti meu corpo rígido, tenso, antevendo uma tragédia. Meu parceiro ali, um neurocirurgião, responsável pela operação na coluna, não sabia como me ajudar. Era prudente ter na sala um outro cirurgião torácico auxiliar. Nessas horas, faz diferença um colega da mesma especialidade, que conhece a matéria. Com a voz firme, exigi que abrissem todas as caixas de instrumental cirúrgico disponíveis na central de esterilização.

O sangramento permanecia e eu não conseguia contê-lo. Precisava agora de uma pinça comprida para não ser obrigado a abrir mais a incisão. As respostas que vinham dos enfermeiros eram as respostas que eu não queria ouvir, frases como "só tem esta, doutor, serve?". Pelo tom dos técnicos, parecia que eu pedia o impossível. E eu só estava pedindo uma pinça.

Apelando para gambiarras de toda sorte, pedi a um enfermeiro para segurar manualmente o foco de luz, numa posição específica que facilitasse a minha visão. O neurocirurgião comprimiu o local para diminuir o sangramento. Improvisei, então, uma pinça, emendando duas pinças menores. Também improvisei um prolongador de bisturi elétrico usando uma luva cirúrgica para amarrar o instrumento à outra pinça. Assim resolvi o problema: cauterizei com o bisturi elétrico adaptado a região que sangrava. O cirurgião brasileiro tem uma capacidade incomum de improvisar. Não é um talento do qual deveríamos nos gabar. Somos obrigados a adaptar a prática médica às condições adversas dos hospitais públicos.

O Saracuruna havia sido o hospital público escolhido para se tornar referência no trauma raquimedular no Rio de Janeiro. Para lá, eram encaminhados os pacientes politraumatizados, com lesão grave na coluna vertebral. A artrodese é o tratamento indicado para os casos de instabilidade do eixo da coluna.

Quando a lesão se dava na altura das vértebras torácicas, eu entrava em campo para realizar o acesso pelo tórax. Minha missão consistia em abrir o tórax para que o neurocirurgião pudesse agir, permitindo a correção da lesão. É uma cirurgia grande, complexa, com alta chance de sangramento durante a operação. O recomendado é só entrar na sala de cirurgia com as garantias necessárias, como vaga na terapia intensiva para o pós-operatório. O problema era que tais garantias nunca estavam em jogo.

Depois da cirurgia, em que quase perdi um paciente por falta de pinça, minha atitude mudou. Eu mudei. As solicitações para que eu fizesse o acesso das colunas vinham aumentando. Abrir tórax era, além de uma obrigação, um dever que eu cumpria com prazer. Ao receber a indicação operatória, sempre me encaminhava para a enfermaria para conhecer o doente, sua história e seu drama. Orgulhoso da minha condição de cirurgião torácico, sentia que podia contribuir para atenuar o sofrimento daquela pessoa.

Resolver problemas complexos é sempre muito sedutor para um médico. Após conhecer o doente, minha atitude tornava-se heroica: partia para a luta por condições para realizar o procedimento. Reunir tais condições demandava imensa energia: vaga na UTI, reserva de sangue, fios adequados para fechamento do tórax, tubo orotraqueal para ventilação monopulmonar, foco de luz, instrumental certo, até número de compressas e campos cirúrgicos disponíveis eu precisava conferir.

Remando contra a corrente, num esforço atroz, participei de muitas cirurgias bem-sucedidas. Em função da pressão que recaía sobre mim para que as cirurgias acontecessem a qualquer preço, passei a fazer concessões perigosas, como permitir ser auxiliado em campo operatório por um colega que não era da minha especialidade e operar sendo sempre surpreendido pela escassez de recursos. Em várias ocasiões, suspendi a realização de um procedimento marcado por falta de condições. Mas minhas atitudes batiam de frente com as prioridades do Saracuruna. Depois daquela cirurgia, decidi: fosse qual fosse o jogo, eu não queria mais fazer parte dele.

O médico libanês Avedis Donabedian (1919-2000), professor da Universidade de Michigan e pensador do modelo assistencial de qualidade na saúde, escreveu: "A consciência dos sistemas e do desenho dos sistemas é importante para os profissionais de saúde, mas não é suficiente. É apenas um mecanismo potencializador. O essencial para o sucesso de um sistema é a dimensão ética dos indivíduos. Afinal de contas, o segredo da qualidade é o amor. Um profissional de saúde deve amar seu paciente, amar sua profissão, amar seu Deus. Se tem amor, então poderá dirigir seu olhar e energia para monitorar e melhorar o sistema. O mercantilismo não pode ser uma força central".

A remuneração médica, além de aviltante, tanto na esfera pública quanto na regida pelos planos de saúde, é baseada em procedimentos realizados. Isso estimula a solicitação de exames desnecessários e a realização de cirurgias de indicação questionável. Abre-se uma porta para o desperdício e cria-se uma ameaça para a autonomia médica. Infelizmente, essa realidade permeia grande parte dos hospitais brasileiros.

O americano Michael Porter, professor da Harvard Business School, doutor em economia empresarial e maior autoridade mundial em estratégica competitiva, estudou o mercado da saúde por mais de uma década. Suas ideias influenciam empresas e governos do mundo todo. No seu livro *Repensando a saúde*, ele propõe uma nova visão na qual todos os participantes do sistema estejam concentrados em melhorar o valor, medido com base em resultados alcançados por dinheiro gasto. Ele preconiza um novo modelo de remuneração. Em vez de remunerar por procedimentos, as fontes pagadoras — governos, operadoras e seguradoras — deveriam pagar por pacientes curados. Na minha opinião, seria um grande salto no pensamento da saúde.

Até decidir de vez me desligar do sistema público, um ano se passou. Foram meses de muita reflexão. Ser médico do Estado era algo importante para mim, algo que sempre quis muito e batalhei para conquistar. Lembro-me de uma conversa que tive com minha mulher por telefone quando me encontrava na fila para fazer a inscrição para o concurso público.

Você ainda está aí? — ela me perguntou.

Vou demorar, estou na fila — respondi.

Por que você quer entrar nessa, Marcio? Paga tão pouco — Lenita argumentou.

Faço a prova primeiro, depois eu decido.

Eram sete vagas para o Saracuruna. Só seis foram preenchidas. Eu passei em terceiro lugar. No meu primeiro contracheque, veio a sentença, que li com discreto orgulho: "Você agora é médico do Estado".

Nesse ano final, atuei no limite da minha própria ética, sempre sob o risco de a qualquer hora ser processado por imprudência. Mesmo tentando fazer tudo certo, o sistema ao meu redor negligenciava a qualidade da assistência que prestávamos. Diante de um cenário de vida e morte, o médico — isso ficou muito claro para mim nesse tempo — era o meio. Segundo o Código de Ética Médica, cabe a nós apontar as falhas nos regulamentos e normas das instituições em que trabalhamos, quando as julgamos indignas do exercício da profissão ou prejudiciais ao paciente. Por inúmeras vezes, segui esta norma: apontei a falta de condições para trabalhar. Mas e daí? Os pacientes não paravam de chegar. O que fazer? Cruzar os braços? Não atender um doente pode ser equivalente a assinar uma sentença de morte.

Além da falta de condições básicas de trabalho e da corrupção, existia um entorno que foi minando a minha resistência, destruindo a minha vontade. Assim como o doente do sistema público não é de ninguém, o médico também não pertence a qualquer um.

Eu estava ali, flutuando naquele sistema, sem ninguém a quem me reportar. Ao mesmo tempo, era cobrado por horário, tinha que bater ponto. Só queriam saber se eu estava cumprindo as vinte horas semanais. Tudo passou a me incomodar profundamente. No fim das contas, estava pagando para trabalhar. Em oito anos de Saracuruna, meu salário aumentara R$ 99,92, totalizando R$ 1.542,32. Com descontos: R$ 1.372,67. Digo que fui, aos poucos, sendo expelido do sistema público.

Em 2009, resolvi tirar o título de cirurgião torácico concedido pela Sociedade de Cirurgia Torácica. A prova é dura. E há sempre o risco de não passar e ficar exposto perante a comunidade médica. Como havia feito residência em cirurgia do tórax e atuava como tal, eu, na prática, já era um cirurgião torácico. O título da Sociedade, porém, seria a cereja do bolo, o reconhecimento pelos pares. No estado do Rio de Janeiro, somente 89 profissionais têm o título. As provas oral e escrita aconteceram em Curitiba, durante um congresso da especialidade. Vestido com terno e gravata, num ambiente formal e acadêmico, fui submetido aos testes.

Pela manhã, prova escrita, que durou cerca de quatro horas. À tarde, prova oral, com uma banca de cinco professores, entre eles o meu ex-chefe no ITP, professor Carlos Alberto Guimarães. Numa sabatina que se estendeu noite adentro, os professores me apresentaram casos complexos para que eu pudesse fazer o diagnóstico e indicar a conduta médica. Ao fim, fui aprovado com louvor. O resultado saiu horas depois. Sozinho no corredor, vi o meu nome, escrito à mão, na pequena lista dos aprovados. No mesmo instante, corri para ligar para casa. Do outro lado da linha, a festa da minha família, todos em volta do bocal, gritando ao mesmo tempo. Estávamos felizes.

Algum tempo depois, veio a prova prática. Um dos professores da banca foi designado para assistir a uma cirurgia minha no Hospital do Galeão. O paciente era do norte do Brasil, um rapaz jovem, de 35 anos, portador de uma massa pulmonar de natureza desconhecida, estranha para a idade dele. Ao abri-lo, retirei um naco do pulmão e mandei para a biopsia. Logo o patologista trouxe o resultado. Tratava-se de uma alteração benigna, uma micose pulmonar. O professor me perguntou: "E agora? O que você vai fazer?".

124 *Marcio Maranhão*

Minha resposta estava na ponta da língua: "Vou fechar o doente e tratar a moléstia com remédio". A cirurgia torácica não é apenas técnica. A conduta é o mais importante. Era isso que estava sendo testado ali. Mesmo sendo uma lesão grande, preferi ser conservador e optar pelo tratamento com antibióticos, acompanhando a evolução em vez de extirpar o tumor. Nesse momento, fui aprovado como cirurgião torácico pela Sociedade Brasileira de Cirurgia Torácica. O paciente ficou curado seis meses depois.

Aquele foi um ano de contrastes. Por um lado, consegui o título de cirurgião torácico, a consagração pelos anos de batalha. Por outro, no mesmo ano, sofri a derradeira desilusão amorosa com a medicina. Olhei para o meu jaleco e ele estava amarelo, encardido, sem vontade, sem desejo. Eu passara os últimos oito anos brigando contra o sistema e praticamente pagando para trabalhar. Minha escolha profissional me pareceu, então, patética. O romantismo da medicina pública transformara-se em sapo bem na frente dos meus olhos. Por que o sistema público de saúde, tão necessitado de profissionais especializados, tão carente de tudo, não lastimava a perda de um médico como eu? Meu pedido de exoneração era certo. Só me faltava a coragem de formalizá-lo.

Para deixar o cargo, eu só precisava cumprir a burocracia do sistema. Não havia uma pessoa a quem me reportar, não existiria contraproposta, nem discussão das causas que me faziam tomar aquela medida drástica. A decisão cabia inteiramente a mim. Lenita passou a fazer piada da minha indecisão hamletiana. Costumava olhar e dizer somente: "E aí, já resolveu?".

Minha trajetória no sistema público, cenário de tantas **promessas políticas** jamais cumpridas, é o espelho do caminho percorrido por muitos colegas. Começamos com o jaleco bem passado, cheirando a amaciante de roupas — e terminamos como ele: macilento, com aquela cor de doença, de desânimo, de frustração.

PROMESSAS POLÍTICAS

Somente 11% das ações previstas no Programa de Aceleração do Crescimento (PAC 2), o chamado PAC da Saúde, foram concluídas desde 2011, segundo o Jornal do Conselho Federal de Medicina (CFM). O baixo desempenho dos projetos deve-se ao subfinanciamento e à má gestão administrativa. Ao todo, o governo estimava investir R$ 7,4 bilhões no PAC da Saúde entre 2011 e 2014. Até o segundo semestre de 2014, foram investidos R$ 624 milhões.

Uma história verídica que virou piada nos corredores dos hospitais é a caricatura do médico público. Era o primeiro dia na emergência de um hospital público de uma jovem médica. Ao chegar para o plantão, a moça perguntou onde poderia guardar sua bolsa. Alguém respondeu para deixar em qualquer lugar e correr para o *front*. Depois de passar a noite de um lado para o outro, sendo contaminada pela dor, a médica aproveitou que a bolsa encontrava-se perto de uma janela e saiu por ali mesmo. Nunca mais foi vista. É assim: um dia, mais cedo ou mais tarde, o médico público sai pela janela. Estava chegando a minha hora.

Olhando em perspectiva, eu quis, naquele momento, alguém para cuidar de mim. Cuidava e precisava ser cuidado. Minhas aspirações não eram altas: basicamente condições de trabalho, para não ter que drenar um tórax na enfermaria. Em todas as nuances da relação, o médico é tratado como um moleque pelo Estado: ele não nos dá o mínimo para exercer a medicina com dignidade e nos cobra cartão de ponto. Paga salários irrisórios e penaliza o profissional por não conseguir cumprir as horas estipuladas pela burocracia, como se o desempenho numa sala de operação pudesse ser medido em minutos. Não protege o médico do risco de negligência ou imprudência, mas o coloca no papel de vilão quando cobrado pela ineficiência do sistema de saúde. Em suma: maltrata quem cuida e, por consequência, quem precisa de cuidado. Como perguntou Nietzsche, de onde vem a lógica? Etimologicamente, a palavra vem do grego, *logos*, que significa pensamento, conceito, discurso, razão. Tal definição certamente não se aplica às esferas públicas brasileiras. Estudei numa universidade subsidiada pelo dinheiro público. O Estado pagou para eu me formar em medicina. No sentido clássico da lógica, faria sentido eu trabalhar para esse mesmo Estado para quitar essa dívida. Só que ao invés de me trazer para mais perto, o Estado que financiou o meu estudo estava me expulsando, me cuspindo, na medida em que não me oferecia nenhuma contrapartida, nem mesmo um bisturi. Depois de avaliar cuidadosamente essa relação deteriorada entre médico e Estado, resolvi, enfim, pedir exoneração.

Por que fiz concurso público? Por que decidi entrar para o SUS se já conhecia as condições? Não respondo pela classe médica, respondo por mim. Eu precisava ver doente, operar, estar perto

O PAC da Saúde na região Sudeste é o que apresenta pior desempenho. O governo só concluiu 318 das 2.441 obras previstas. No Nordeste, das 11 mil obras previstas, apenas 1.119 saíram do papel. No Sul e Centro-Oeste, o percentual de conclusão oscila entre 11% e 12%, respectivamente. No Norte, 464 das 2.861 ações foram concluídas.

PROMESSAS POLÍTICAS 2

No vácuo da gestão pública ineficiente, surgiram as OS — Organizações Sociais de Saúde. Foram apresentadas como a solução para os problemas do sistema público — como acontece com o programa Mais Médicos. A OS é uma entidade especializada em gestão na área de saúde. Na essência, constitui uma parceria público-privada, presumidamente não lucrativa. Na prática, as OS criaram distorções abismais no sistema de saúde abrindo a brecha para a contratação de médicos sem concurso público.

de quem mais precisa de assistência. Esse lugar utópico era o SUS. Tenho a convicção de que a solução para o complexo problema da saúde no Brasil esteja no fortalecimento de um Sistema Público Universal de Saúde, pleno, justo, acessível, ligado às universidades públicas, aos hospitais-escola e aos centros formadores de conhecimento. Além disso, precisava lidar com doenças que iam além dos limites do consultório. Exercer a profissão na sua plenitude, tangenciando o lado comercial. Experimentar a sensação de se doar ao ofício, aproximando-se da história do seu doente, do seu contexto social. Entendi que doente é tudo igual, ou pelo menos deveria ser. A medicina é que ficou diferente. Felizmente, na minha formação, pude conviver com colegas que compartilham esse sentimento.

Procurei o Departamento de Pessoal do Saracuruna e a atendente me orientou a escrever, de próprio punho, em três linhas, o motivo da minha decisão de deixar o cargo. Como as razões que me faziam estar ali, pedindo demissão, não caberiam num livro, resolvi simplificar. Rascunhei a simples frase: "Saída por motivos pessoais". A partir daí, instaurou-se um processo interno que seria encaminhado para a Secretaria Estadual de Saúde. Enquanto isso,

128 *Marcio Maranhão*

meus colegas passavam por mim e batiam nas minhas costas, cúmplices da minha atitude. Três meses depois, chegou à minha casa um telegrama me convocando a comparecer ao imponente prédio histórico da rua México, 128, centro da cidade, um cenário de cinema, onde foram gravadas cenas de muitos filmes nacionais.

No dia determinado, pulei da cama bem cedinho, fiz a barba e, com calma, me vesti com apreço e dignidade para a tarefa que me esperava. Às sete, em ponto, saí de casa e me dirigi para a rua México. No trânsito, fui imaginando situações ficcionais. No meu delírio, eu chegava à Secretaria de Saúde e Vigilância Sanitária do Estado do Rio e era recebido pelo Secretário de Saúde, que ouviria as razões pelas quais eu estava ali, me desligando do serviço público. Ele, então, indignado, tentaria me demover da ideia. E me prometeria trabalhar junto comigo e com todos por melhores condições para os profissionais de saúde.

Ao adentrar o prédio de doze andares, estilo neoclássico, adornado por pilastras negras, cruzei com muitas pessoas, que caminhavam de um lado

Os novos profissionais chegam ganhando mais do que os concursados. Outro problema foi a suspeita de corrupção. Estudiosos da saúde acreditam que a terceirização do setor possa abrir um campo fértil para a malversação do dinheiro público. No Saracuruna, com a entrada de uma os, os médicos concursados continuaram com remuneração pífia. Os novos médicos chegaram ganhando até seis vezes.

para o outro apressadas, até conseguir encontrar o elevador. Ninguém me esperava. Pelo contrário. Eu era — literalmente — só mais um na multidão. Como a fila para subir estava imensa, optei pelas escadas. Subi os cinco andares de um fôlego só. Demorei minutos intermináveis tentando encontrar o setor responsável. A antessala encontrava-se bastante cheia e, diante daquela plateia anônima, me identifiquei para a senhora atrás da mesa. Ela pegou o telegrama de convocação da minha mão, olhou por cima dos óculos, anotou o meu nome e me deu uma senha.

Esperei por quase uma hora até ouvir o meu nome sendo chamado. Outra senhora claudicante e acima do peso veio até mim com uma pasta embaixo do braço. Era o meu processo de exoneração. Eu a segui até a sala da repartição, no segundo andar. Fazia muito calor e o ar-condicionado não dava vazão. Sentei-me na cadeira à frente de sua mesa. Com frieza e sem cerimônia, ela foi logo me perguntando o motivo de minha saída. Em nenhum momento, olhou para mim. Parecia ansiosa para escrever qualquer coisa e se livrar daquele médico incômodo. Não tirava os olhos do processo. Acreditei que a pergunta sobre a razão da exoneração era apenas praxe, algo que tinha que ser escrito na ficha. Sem trair qualquer emoção, disse a frase ensaiada: "motivos pessoais". Agora, só faltava assinar. Quando eu já estava com a caneta na mão, a senhora, tão fria e tão distante, tocou de leve o meu braço.

— Meu filho, você tem certeza? Não quer pedir uma licença sem remuneração? Ou pedir uma transferência? Você terá tempo de mudar de ideia — ela falou, agora olhando bem nos meus olhos.

— Onde eu assino? — encerrei.

Bibliografia

Bahia, L. *Revista História, Ciências e Saúde*. Rio de Janeiro: Fiocruz, abr. 2014.

_____. A judicialização da saúde. *O Globo*, Rio de Janeiro, jan. 2014.

_____. Arriba e abaixo. *O Globo*, Rio de Janeiro, out. 2013.

_____. Melhor é tornar possível. *O Globo*, Rio de Janeiro, fev. 2014.

Casado, J. Racionamento na saúde. *O Globo*, Rio de Janeiro, abr. 2014.

Cooper, R. Use o sus e troque de carro. *O Globo*, Rio de Janeiro, abr. 2014.

Gawande, A. *Checklist. Como fazer as coisas bem-feitas*. Rio de Janeiro: Sextante, 2011.

Gordon, N. *O físico: a epopeia de um médico medieval*. Rio de Janeiro: Rocco, 1988.

Gordon, R. *A assustadora história da medicina*. Rio de Janeiro: Ediouro, 1995.

Groopman, J. *Como os médicos pensam*. Rio de Janeiro: Agir, 2008.

Jornal do Conselho Federal de Medicina. Brasília, abr. 2014.

Jornal do Cremerj. Rio de Janeiro, n° 270, mar. 2014.

Ocké-Reis, C. O. sus, o desafio de ser único. *Folha de São Paulo*, São Paulo, abr. 2014.

Paim, J. S. A Constituição Cidadã e os 25 anos do Sistema Único de Saúde (sus). *Cad. Saúde Pública*, Rio de Janeiro, v. 29, n° 10, 2013.

Porter, M. E. *Repensando a saúde: estratégias para melhorar a qualidade e reduzir os custos*. Porto Alegre: Bookman, 2007.

SCLIAR, M. *Território da emoção: crônicas de medicina e saúde.* São Paulo: Companhia das Letras, 2013.

TEIXEIRA, C. F. *O SUS e a vigilância da saúde.* Rio de Janeiro: Proformar/Fiocruz, 2003.

TEIXEIRA, C. F. *Os Princípios do Sistema Único de Saúde.* Bahia, jun. 2011.

THORWALD, J. *O século dos cirurgiões.* São Paulo: Hemus, 1976.

VENTURA, Z. *Cidade partida.* São Paulo: Companhia das Letras, 1994.

ZYMLER, B. Tribunal de Contas da União. Relatório sistêmico de fiscalização da saúde. TCU 032.624/2013-1. Brasília, 26 mar. 2014.

AGRADECIMENTOS

A CLAUDIO TORRES E Luiz Noronha, pelo incentivo e parceria.

A Isa Pessoa, por acreditar e tornar possível.

Aos meus mestres Carlos Alberto Guimarães, Giovanni Marsico e Antonio Miraldi Clemente, minha eterna gratidão.

A Ligia Bahia, por me ajudar a perceber a complexidade do contexto.

Aos amigos Norton Fernandes, Maurício Cabús Muller e Pedro Henrique Diégues, pela amizade incondicional.

A Martha Savedra, por sua generosidade.

A Edimilson Migowski e Bruno Leite, pela disponibilidade e confiança.

A Denise Unis, pela ajuda imprescindível.

Aos meus colegas médicos, que compartilharam opiniões que muito me provocaram.

Nascida em Minas Gerais, em 1970, a jornalista Karla Monteiro foi repórter da revista *Veja*, da revista eletrônica *No.* e dos jornais *Folha de S.Paulo* e *O Globo*. Editora das revistas *Vogue Homem*, em 2003, e TPM, em 2005, hoje atua como escritora e repórter *freelancer* para diversas publicações nacionais e estrangeiras. Karla mora no Rio de Janeiro desde 2007.

O nome de certos personagens foi trocado para a preservação de suas identidades.

Este livro, composto na fonte Fairfield,
foi impresso em papel Pólen Soft 70 g/m², na Imprensa da Fé.
São Paulo, julho de 2017.